D1383572

LES MEILLEURES RECETTES
DE LA
CUISINE ANTILLAISE

© Editions Universitaires, 1978.
ISBN 2-7113-0122-2

CHRISTIANE ROY-CAMILLE
ANNICK MARIE

LES MEILLEURES RECETTES DE LA CUISINE ANTILLAISE

éditions universitaires

Sommaire

Préface

Escoffier disait : « Écrire l'histoire de la table d'un peuple, c'est brosser un tableau de sa civilisation. » Ce recueil de recettes antillaises confirme pleinement cette assertion. Transmises de mères en filles à travers nos « das », elles sont restées particulièrement vivantes. Elles n'ont pas subi l'usure du temps et notre société de consommation n'a en rien entamé son rayonnement.

En parcourant ce volume écrit avec soin, avec un goût prononcé de la recherche et avec un véritable retour aux sources, l'odorat et le goût sont en perpétuelle alerte.

Nos recettes culinaires sont explorées dans leurs moindres recoins. Un lexique guide utilement et pratiquement nos pas à travers les poissons, les crustacés, les viandes, les légumes, les desserts, les soupes, les confitures, etc. Elles sont exposées avec clarté, ce qui n'est pas toujours le cas, bien précisées.

Tout a été mis en œuvre pour rendre aisées et agréables les préparations à la portée de toute maîtresse de maison qui ne manquera pas d'y ajouter sa touche personnelle. Les maris pourront, suivant leurs loisirs, s'y essayer avec succès. Ils en éprouveront un sentiment de détente heureuse.

Saveurs multiples et sensations fortes en sont les dominantes.

Comme tout dans la vie, la cuisine a dû évoluer, se plier aux caprices de la mode et parfois aux possibilités ou aux nécessités économiques, mais ces modifications de formes, de présentation, n'ont jamais altéré le fond, l'essence même de notre cuisine antillaise.

Elle se prépare sans hâte, on prend plaisir à la mijoter et souvent on goûte pour mieux y participer. Elle repose de notre vie trépidante. Elle est avant tout joie de vivre et plaisir d'être ensemble.

Amis lecteurs, gourmets et gourmands, je ne saurais trop vous conseiller de vous laisser faire. Succombez à la tentation et, croyez-moi, vous ne le regretterez point.

Maurice SAINT-CYR
Bailli de la chaîne des rôtisseurs de la Martinique

Introduction

Les Antilles françaises ont, depuis déjà fort longtemps, inspiré nombre d'écrivains de renom. Si l'on devait tenter de trouver, au sein de cette littérature abondante, un facteur commun, ce serait, sans contestation possible, l'enthousiasme avec lequel ont été décrites ces îles tropicales. C'est à qui vantera leurs paysages où se rejoignent l'eau, la terre et le ciel, la flore luxuriante, le charme de leurs habitants. Ainsi, le même chant d'amour se retrouve dans l'« Histoire générale des Antilles habitées par les Français » (1667) de du Tertre et dans le « Voyage aux Isles d'Amérique » du très célèbre Révérend Père Labat. Beaucoup plus près de nous, comment ne pas citer les vers de Saint John Perse et d'Aimé Césaire qui, mieux peut être que quiconque, ont su évoquer admirablement des « îles plus vertes que le songe ».

Il est vrai que les Antilles françaises peuvent apparaître, à certains égards, comme une sorte de vision paradisiaque. Peut-on rappeler, qu'en 1931, un écrivain fort connu à l'époque pour ses pastiches, Paul Reboux, publiait un ouvrage fort bien documenté « Le Paradis des Antilles françaises »... en avouant lui-même dans son préambule qu'il n'était jamais allé ni à la Martinique, ni à la Guadeloupe ! La même année paraissait d'ailleurs, avec une préface de Paul Reboux, un livre fort sérieux de M. R. de Noter traitant de « La bonne cuisine aux colonies » et qui comportait quatre cents recettes « exquises ou pittoresques » ; la cuisine créole y figurait en bonne place.

Dans tous ces ouvrages, anciens ou récents, la part réservée à la cuisine est toujours importante, ce qui peut s'expliquer par le fait que dans les Antilles, plus qu'ailleurs sans doute, l'art culinaire est un véritable fait de civilisation. En effet, la cuisine créole traduit admirablement l'abondance des ressources naturelles de ces îles, le style de vie de leurs habitants et même la musique de leur langue. Ainsi chanter cette cuisine est peut être la meilleure manière de les faire aimer.

Telle est l'ambition de ce livre qui se veut à la fois un guide pratique et un hommage à la culture antillaise. Les habitants de la Martinique et de la Guadeloupe devraient s'y reconnaître sans difficulté, tant l'on a cherché à

11

exprimer ici une tradition orale que détiennent des restaurateurs locaux et quelques « das », dans les bonnes familles antillaises.

Mais, est-ce trop ambitieux, l'on voulait aussi que ce modeste livre puisse servir de trait d'union à ces Antillais, tellement nombreux, qui sont venus chercher du travail en Métropole et qui ne retrouvent pas, dans nos brumes urbaines, les couleurs et les parfums de la Guadeloupe et de la Martinique.

Enfin, il faut espérer qu'à travers un tel ouvrage, les touristes, qui, chaque année plus nombreux, viennent chercher dans les Antilles françaises le soleil et le dépaysement, s'intéressent davantage à la cuisine créole, et à travers celle-ci, à la véritable culture de ces îles.

Bien évidemment, pour ces derniers comme pour les Antillais vivant en Métropole, se pose souvent le problème de trouver les produits qui entrent dans la composition des plats créoles. Qu'il s'agisse des poissons, des fruits et des légumes ou des épices, la cuisine antillaise est fort originale et l'on ne peut indifféremment remplacer le citron vert par le citron jaune, ou la patate douce par la pomme de terre. C'est la raison pour laquelle, sont données, sans que la liste puisse évidemment en être exhaustive, quelques adresses de boutiques qui offrent à la clientèle la plupart des produits mentionnés dans ce livre.

Il restera ensuite au lecteur à laisser parler son imagination et ses talents culinaires, avec l'espoir qu'un repas créole, précédé d'un « punch » parfumé servi avec des « acras » de morue, et dans lequel se succéderont un colombo de poulet ou un « blaff » de poissons, avec en apothéose une glace au coco suivie d'un « shrubb » soit pour lui et pour ses invités le début d'un long mariage d'amour avec les Antilles françaises.

Lexique

ABRICOT-PAYS

Fruit qui ne ressemble à l'abricot d'Europe que par la couleur de sa chair ; il se consomme surtout en jus, en sorbet ou en confiture.

ACRAS

Petits beignets (appelés aussi marinades) généralement aux poissons ou aux légumes.

ANANAS

Fruit qui pousse au ras du sol, au milieu de feuilles grasses et pointues ressemblant à son panache.
Il accompagne bien la viande de cochon et est surtout apprécié en dessert et en jus.
On le coupe en rondelles ou de préférence en hauteur car la base est plus sucrée.

ASSAISONNEMENT

C'est la préparation dans laquelle on fait macérer un poisson ou une viande.
Elle se compose obligatoirement de sel, de jus de citrons verts, d'ail et éventuellement de bois d'Inde, de piment, de poivre et d'oignon-France.

AVOCAT

Fruit de l'avocatier que l'on mange en entrée, en légume et parfois en dessert. Il peut accompagner presque tous les plats et atténue la brûlure du piment.
A l'origine, aux Antilles, on ne connaissait que l'avocat à peau rouge, mince et fragile. Désormais, on cultive l'avocat à peau verte, plus épaisse, plus facilement exportable.
Sur place, il est mûr quand on entend le bruit du noyau. Il est

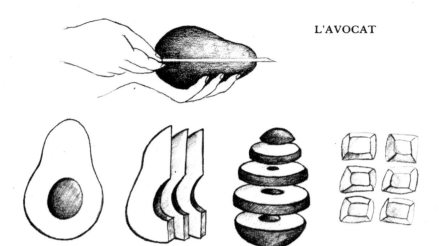

préférable de l'acheter un peu vert
et de le laisser mûrir, enveloppé de
feuilles de journal, pour le protéger
d'un contact extérieur.

On le coupe de différentes façons :
en tranches horizontales ou vertica-
les, par moitié, en cubes ou en noisettes.

BANANES

Aux Antilles, on distingue les
bananes-légume et les bananes-
dessert. Parmi les bananes à cuire,
il y a :
• le « *ti-nain* » qui se fait cuire
vert, débarrassé de sa peau (c'est la
même banane que l'on trouve mûre
à l'exportation) ;
• la *banane jaune* que l'on fait
cuire bien mûre, avec sa peau.
Parmi les bananes-dessert, il y a :

• la *fressinnette*, petite, parfumée, à
peau fine ;
• la *figue pomme*, moyenne, ventrue et acidulée ;
• la *macanguia*, de bonne taille, à
la chair fine ;
• la *figue mûre* (le « ti-nain » à
maturité) la plus courante et exportable.

BARBADINE

Fruit qui doit son nom à l'île de
Barbade et que l'on déguste le plus
souvent en confiture.

BÂTON LÉLÉ

Bâton à 3 ou 5 branches qui sert
de fouet pour mélanger une préparation. On l'utilise surtout pour le
migan (purée) de fruit à pain.

BÂTON LÉLÉ

BÉLANGÈRE

Aubergine à peau rouge et marbrée.

BLAFF

Mode de cuisson pour les poissons ou les crustacés qui ressemble au court-bouillon métropolitain.
C'est l'onomatopée du bruit du poisson plongé à l'eau bouillante. L'eau du blaff, salée, poivrée, est aromatisée avec un bouquet garni, de l'oignon-France et du bois d'Inde en feuilles ou en graines.

BLANCHIR

Passer un aliment à l'eau bouillante plus ou moins longtemps (ex. : légumes, abats, etc.).

BAIES D'INDE appelées BOIS D'INDE

Épice que l'on utilise en feuilles ou en graines pour parfumer les mets. Les feuilles s'utilisent fraîches ou séchées. Les graines ne donneront leur saveur que concassées ou réduites en poudre dans un moulin à café.

BOUQUET GARNI

Il sert à aromatiser certains plats.
Il se compose, dans la cuisine créole, d'oignons-pays ou cives, de persil à large feuille, de branches de thym.
On frappe et on écrase légèrement le blanc des oignons-pays pour que le bouquet donne tout son parfum.

CACAHUÈTE

Produit de l'arachide ; est appelée indûment pistache aux Antilles. On l'utilise écrasée, en beurre de cacahuète ou en confiserie.

CACAO

Graine du cacaoyer, arbre qui pousse aux Antilles. On en extrait le chocolat que l'on achète sous forme de pain appelé *bâton caco* dans les Îles. On râpe ce bâton pour obtenir une poudre et l'utiliser en pâtisserie.

CALALOU

Soupe d'herbages et de légumes à base de gombos que l'on agrémente de cochon ou de crabes.

CALEBASSE

Fruit du calebassier, non comestible. Coupé, vidé de sa chair, il sert de récipient pour assaisonner le poisson. On l'appelle *couï*.

CARAMBOLE

Fruit antillais, à larges côtes.

CHADEC

Gros pamplemousse que l'on mange en fruit. Sa peau épaisse peut être confite.

CHADRON

C'est le nom créole de l'oursin.
On vend les œufs d'oursins sous

forme de « tête chadron ». Les œufs de plusieurs oursins remplissent une belle coquille et sont grillés au feu de bois.

On trouve aussi des œufs d'oursins frais, ou congelés au poids.

Dans les Îles, l'oursin nature, fade, n'est pas apprécié, on le préfère accommodé en blaff, en soufflé...

CHATROU

C'est le poulpe aux Antilles.

CHAUDEAU

Nom donné à la Guadeloupe pour le chocolat de Première Communion.

CHELLOU

C'est un ragoût d'abats de mouton.

CHIFFONNADE

Feuilles de légumes coupées en fines lamelles ou en bâtonnets.

CHIQUETAILLE DE MORUE

C'est la morue grillée et « déchiquetée » (effeuillée sans la peau ni les arêtes) que l'on met en vinaigrette pour accompagner certains plats comme le calalou, le migan.

CHOU

Aux Antilles, à côté du chou blanc ou chou pommé, les choux sont des racines alimentaires qui se consomment généralement cuites à l'eau salée.

On trouve, entre autre, le chou Dachine ou madère, le chou dur, le chou mol, le malanga (chou dur jaune)...

CHOU COCO

Cœur du cocotier que l'on mange cru, en salade, pour les parties tendres ou cuit pour les parties plus dures.

C'est un mets recherché car il faut avoir abattu un cocotier pour le déguster.

CHRISTOPHINE

Légume des Antilles que l'on mange cru ou cuit.

On l'appelle aussi chayotte.

CIRIQUE

C'est l'étrille, sorte de petit crabe de mer.

CISELER

Faire des incisions à l'aide d'un couteau fin sur un aliment pour en faciliter la cuisson ou faire pénétrer un assaisonnement.

CITRON VERT

Citron que l'on utilise aux Antilles. Il est petit, parfumé ; sa peau est verte et ne jaunit que lorsqu'il est trop mûr.

Il est à la base de nombreux plats

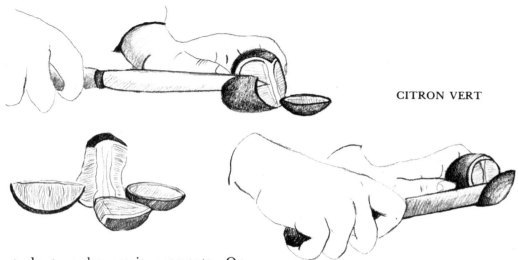

CITRON VERT

et de tous les assaisonnements. On le coupe en *palettes,* autour du centre pour y laisser les pépins, ou en moitié, pour le presser en jus. On le roulera avec la paume de la main avant de le couper pour que le jus rende bien.

COCO

Fruit tropical que l'on coupe pour recueillir l'*eau de coco.*
Suivant sa maturité, la noix renferme une crème molle, ou une substance dure (lorsqu'il s'agit d'un coco sec). Le *lait de coco* s'obtient en râpant le coco sec et en le pressant à travers un linge (ou en le passant à la centrifugeuse).

COLOMBO

C'est un mélange en parties égales de graines de coriandre, de cumin, de poivre noir, de moutarde, de curcuma, de gingembre et de piment.
On le trouve tout préparé, ou on fait le mélange soi-même. Certains plats portent le nom de cette épice (ex. : colombo de poulet, de mouton, de porc).
Vous pouvez aussi utiliser le curry pour remplacer le colombo.

COROSSOL

Fruit des Antilles à la peau verte et piquante, à la chair blanche légèrement cotonneuse et fondante, parfaite pour l'utilisation de jus, sorbets ou glaces.

COURT-BOUILLON

Il est différent du court-bouillon que l'on fait généralement en Métropole.
C'est une façon de faire cuire certains poissons (rouges, de préfé-

rence), avec des tomates, des oignons, et éventuellement du piment.

On a coutume de servir le poisson baignant dans l'eau du court-bouillon.

COUSCOUCHE

Racine alimentaire à la texture et à la saveur fines, utilisée en légume, cuite à l'eau ou en purée.

CRABE DE TERRE

C'est une des spécialités antillaises.

On consomme les crabes de terre que l'on trouve dans les basses terres inondables. On les fait farcis suivant une préparation bien spéciale, ou en « matoutou » (sorte de fricassée cuite avec du riz).

CREVER

Aux Antilles, certains légumes sont consommés très cuits ; la peau doit éclater. On fait « crever » des haricots secs, ou du riz.

CRIBICHE

Généralement, on appelle cribiche, une petite écrevisse ou une crevette aux Antilles.

CURRY

Épice d'origine indienne utilisée pour certaines sauces.

DAÏQUIRI

Cocktail à base de rhum blanc qui se sert sous différentes formes.

ÉCREVISSE

Crustacé d'eau douce, appelé suivant sa taille et la région cribiche, Z'habitant (la plus grosse) ou ouassou (en Guadeloupe).

ÉPICE

Substance aromatique pour l'assaisonnement des mets.

On utilise surtout aux Antilles : la muscade, le bois d'Inde, le clou de girofle, le piment, etc.

ÉPINARD

Légume vert dont on consomme les feuilles. Il est différent de l'épinard métropolitain, ses feuilles sont plus petites, et on le déguste en entrée, en vinaigrette.

ESSENCE

Liquide aromatique, concentré, qui parfume certains desserts. Ex. : essence de vanille, de banane, de noyaux (amandes amères). S'utilise en petite quantité.

FARINE DE MANIOC

Racine de manioc séchée et râpée que l'on ajoute à certains mets pour les épaissir comme le féroce d'avocat.

Se consomme beaucoup en Guyane.

FÉROCE

Préparation à base d'avocat, de morue, de farine de manioc à laquelle on ajoute du piment d'où le nom de « féroce ».

FEUILLES DE CHOU CARAÏBE

Appelées aussi herbages, elles servent à la confection du calalou et ne ressemblent en rien au chou traditionnel.

FIGUE

Nom donné à une variété de bananes de petite taille. Ex. : figue-pomme.

FRUIT A PAIN

Fruit de l'arbre à pain, de la taille d'un gros melon à la peau granuleuse.

Se consomme à peine mûr (fruit à pain « bléblé ») ou très mûr pour le migan.
Pour le faire cuire, à l'eau salée, on retire le cœur et on se sert de la peau comme couvercle.
On trouve, généralement, un arbre à pain auprès de chaque maison.

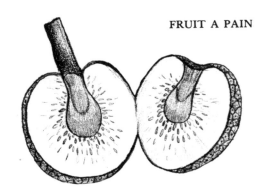

FRUIT A PAIN

GIRAUMON

Nom du potiron aux Antilles.
On l'utilise, en purée, en soupe la plupart du temps. On l'ajoute à d'autres légumes.

GOMBO

Petit légume vert, pointu et allongé (appelé dans certains pays lady's finger).
S'utilise en hors-d'œuvre ou sert de base au calalou

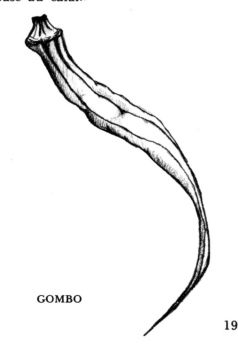

GOMBO

19

GOYAVE

Fruit tropical à peau épaisse et garni de pépins.
Se mange nature, en confiture, gelée, marmelade, en glace ou sorbet, en confiserie (pâte de goyave) et en jus surtout, pour servir de base, avec le rhum, au planteur.

GRAGER

Râper, en créole. La râpe s'appelle la « grage ». Ex. : on « grage » du coco sec.

GRAINE

Nom créole pour désigner les pépins ou les noyaux.

HARICOTS

Sont appelés pois en créole.
On trouve :
• des pois rouges
• des pois d'Angole (ils se consomment frais au moment de Noël, s'écrasent comme des petits pois, et se sucrent),
• des pois Z'yeux noirs...
Et les haricots verts sont des « pois tendres ».

HERBAGES

Ce sont les feuilles du chou caraïbe qui se vendent en paquet (une quinzaine de feuilles) pour la confection du calalou.

IGNAME

Tubercule alimentaire, aux nombreuses variétés, que l'on déguste nature, en purée, et en frites.

Ex. : igname blanche (la plus appréciée), igname portugaise, igname originaire de Saint-Vincent, de Dominique, igname Sassa, igname serpent, igname poule et igname gui...

LETCHI ou LITCHI

Fruit originaire de Chine, sucré et juteux, qui pousse aussi aux Antilles.
Il est rare car l'arbre ne porte des fruits que tous les 7 ans.

LIME

C'est le nom que l'on donne à certains gros citrons à la peau granuleuse qui servent à assaisonner le poisson ou à faire des jus.

MALANGA

Nom donné à un chou dur de couleur jaune. C'est une racine alimentaire.

MANDARINE

Elle pousse aux Antilles. Sa peau peut rester verte, même à maturité. Le zeste peut être utilisé pour confectionner la liqueur de Shrub.

MANGUE

Fruit abondant aux Antilles, aux variétés très nombreuses comme les mangues : julie, amélie, zéphirine, moussache ;
les mangots : mangot bassignac, etc. ;
ou les mangotines.

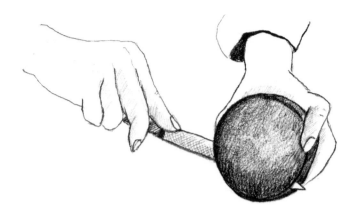

LA MANGUE

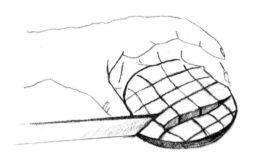

ÉPLUCHÉE EN FLEUR

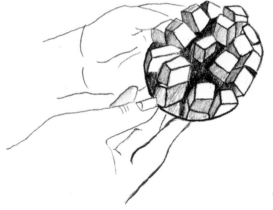

Chaque variété peut être épluchée de façon appropriée, soit en coupant les joues du fruit avec la peau et en taillant la chair en carrés pour la déguster (la mangue est alors épluchée « en fleur ») soit en la pelant de la « tête aux pieds » pour éviter les filaments. La mangue, verte, se prépare assaisonnée en souskaï pour l'apéritif.

LA MANGUE
PELÉE « DE LA TÊTE AUX PIEDS »

MANICOU

Petit animal dont la femelle possède une poche sur le ventre pour porter ses petits. Se nourrit de fruits (corossol et mangue).

MARACUDJA

Fruit porté par une liane parasite qui s'accroche à un arbre support. Il a une peau épaisse, est rempli de « graines ».
On le déguste en jus et en sorbet.
Connu aussi sous le nom de fruit de la passion.

MARINADE

Nom donné aux acras.
Ce que l'on appelle marinade en Métropole, porte le nom d'assaisonnement aux Antilles.

MASSICIS

Petit légume vert, de la famille des concombres ; sa peau présente des aspérités que l'on gratte au couteau, avant de le couper en 4 dans le sens de la longueur, et de le presser pour en retirer les pépins.

MIGAN

Purée dans laquelle on retrouve quelques morceaux non écrasés. Ex. : migan de fruit à pain.

MOLOCOYE

Nom donné à la tortue.

MORUE

Elle est très utilisée dans la cuisine antillaise, séchée et salée. On la fait

dessaler quelques heures, suivant son goût, mais pas trop.
En Métropole, on peut également se servir des filets de morue.

MOUILLER

Couvrir une préparation d'un liquide (eau ou bouillon).

OIGNON-FRANCE

C'est le gros oignon importé d'Europe par opposition à l'oignon-pays. Un oignon débarrassé de sa première peau et noirci à la flamme parfume et colore certains bouillons antillais. C'est l'oignon brûlé.

OIGNON-PAYS ou CIVE

C'est l'oignon local, très utilisé en cuisine, la partie blanche comme la verte. Il ressemble à la ciboule, un peu au poireau et à l'échalote nouvelle.

OS

Désigne les arêtes de poisson autant que les os.

OUASSOU

Nom donné aux écrevisses en Guadeloupe.

OURSIN

Il est appelé chadron. Seul le gros oursin blanc aux épines courtes est comestible. L'oursin noir aux longs

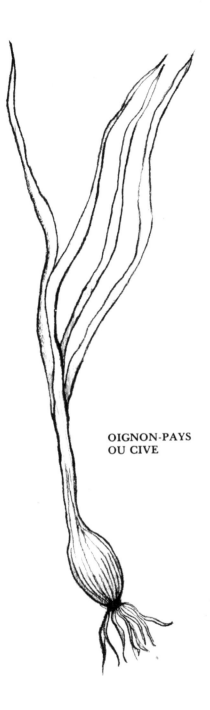

OIGNON-PAYS
OU CIVE

piquants (ils peuvent atteindre 10 centimètres) ne se mange pas, on en redoute la piqûre.

PAPAYE

Gros fruit tropical à la chair orangée et garnie de « graines ». On la « saigne » avec la pointe d'un couteau pour en faire sortir le lait, avant de la couper, afin qu'elle soit moins amère. On peut également la manger verte, en légume, sous forme de gratin ou de soufflé.

PATATE DOUCE

Tubercule comestible à la peau rouge ou grise que l'on mange en légume, ou qui sert pour la préparation de desserts (ex. : gâteau, patate).

PERSIL

Le persil local possède de longues branches à larges feuilles.

PIMENT

Épice dont il existe plusieurs variétés, ex. :
— piment cooli, — piment café, — piment oiseau, — piment « grenu » (le plus courant), — piment « 7 courts-bouillons » (on imagine son agressivité puisqu'il peut parfumer 7 courts-bouillons différents — piment « bonda man Jacques » (« le derrière de Madame Jacques », gros piment rouge foncé et joufflu).
Le piment doit être utilisé avec précaution et modération pour les non initiés. Il ne faut pas qu'il éclate quand il cuit entier, pour certains

plats. S'il est coupé en morceaux, ceux-ci doivent être très fins. A la façon créole on pimentera largement. Mais en règle générale il vaut mieux servir à part, citron vert et piment, pour que chaque convive puisse rectifier l'assaisonnement à son goût. Si l'on veut atténuer l'agressivité d'un plat trop pimenté, il est recommandé de manger un peu de banane, d'avocat, de mie de pain, et de boire du vin (et non de l'eau glacée).

PISQUETTE

Minuscule poisson de mer que l'on prépare en touffée ou en acras, sa taille est petite (3-4 cm).

PISTACHE

Nom créole pour la cacahuète. Une spécialité : le nougat pistache.

PLANTEUR

Cocktail à base de rhum, de jus de fruit (dont la goyave), de muscade et de cannelle.

POISSONS

Nombreux et variés, on distingue :
• *les poissons rouges* (leur peau est rouge, ce sont les plus appréciés) :
le capitaine à la chair blanche et ferme, à la tête imposante,
le grand-Z'yeux (il doit son nom à la taille de son œil),
le vivaneau plus ou moins gros,

la vermeil, qui peut atteindre une fort belle taille,

le juif, aux écailles petites et dont les filets se détachent particulièrement bien,

les sardes (sarde dent de chien ; aux dents longues, sarde à queue jaune, savoureuse, etc.),

la sorbe, souvent maigre en période sèche mais plus charnue après les pluies ;

• *les poissons blancs*

la carangue, bien que sa peau soit blanche, elle est souvent classée parmi les poissons nobles ou rouges. Carangue « hot boy » (recherchée), carangue noire...

le barracuda, poisson vorace à la chair dense mais fine ; meilleure de petite taille,

le thazard, poisson long et fin,

la bonite, variété de petit thon,

le thon

et parmi les poissons de petites tailles : les balarous, les coulirous, maquereaux, « macrios ».

On peut citer aussi d'autres poissons rouges ou blancs, vivants dans la mer des Antilles : la souris, le barbarin, la pague, la bourse, le poisson coffre (à la carapace dure et triangulaire, dont on consomme les filets), le poisson armé (aux longues épines, est aussi appelé poisson lune ou soleil selon les pays), la daurade, différente de la daurade des côtes françaises, les raies difficiles à pêcher, et encore bien d'autres...

La tête entière du poisson est très appréciée des connaisseurs qui n'en laisseront que quelques os.

POMMES

Beaucoup de fruits sont appelés pommes.

• *La pomme cannelle :* dont la peau est constituée d'écailles, la chair blanche et savoureuse, les pépins nombreux.

• *La pomme calebasse :* c'est la maracudja ou fruit de la passion.

• *La pomme cajou :* on en mange la chair, mais aussi la noix accrochée au fruit.

• *La pomme d'eau :* à peau rouge et chair blanche, rafraîchissante car gorgée d'eau.

POURPIER

Plante à feuilles charnues.
Utilisée en infusion et dans la soupe Z'habitants.

PRUNE DE CYTHÈRE

Fruit que l'on déguste, vert, en souskaï à l'apéritif, ou mûr en confiture et nature.
Son noyau ressemble à un oursin.

PULPE

Partie charnue et comestible d'un fruit ou d'un légume.

REVENIR — ROUSSIR

Faire prendre couleur à un aliment, dans une matière grasse, et obtenir son rissolement.

RHUM

De la canne à sucre, on tire le sucre et le rhum.
Le rhum agricole vient du jus de la

canne. Le rhum blanc agricole est le meilleur pour la préparation du punch.

Le rhum industriel est fait à partir des résidus de la canne débarrassée de son jus.

Le rhum vieux est obtenu en faisant vieillir le rhum blanc en fûts de chêne, alors que le rhum blanc est conservé dans des « foudres » (fûts) vitrifiés.

Un bon rhum vieux peut être un digestif fort apprécié.

SAPOTILLE

Fruit antillais à la peau lisse et fine et à la chair sucrée.

SHRUBB

Liqueur à base de zeste de mandarine, macéré dans du rhum.

SIROP DE SUCRE

On l'obtient en faisant fondre et cuire du sucre de canne avec 5 fois son volume d'eau, jusqu'à ce qu'il commence à prendre légèrement consistance.

Le sirop de sucre est très utilisé aux Antilles, pour les jus, le punch, les pâtisseries.

SOUSKAÏ

Moyen de préparer certains fruits verts (mangue, prune de cythère) en les faisant macérer avec du sel, de l'ail et du citron vert.

SUCRE

On n'utilise dans les Îles que du sucre de canne légèrement raffiné ; il n'est pas complètement blanc et se présente sous forme de cristaux.

TAMARIN

Fruit aux vertus laxatives dont on mâche la pulpe peu abondante, accrochée à un noyau important.

THYM

Aromate à grosse feuille (gros thym) ou petite feuille (dit « ti-thym ») différent de celui que l'on trouve en Métropole.

TI-CONCOMBRE

« Ti » : petit en créole.

Le concombre est plus ventru, plus court, il a la peau plus jaune que celui de Métropole.

TI-NAIN

Variété de banane qui se consomme verte et cuite, en légume, aux Antilles ; et mûre, en fruit, dans d'autres pays.

TITIRI

Minuscule petit poisson de mer qui vient se ravitailler à l'embouchure des rivières. On est obligé de le pêcher à la moustiquaire. Il est servi en acras ou en touffée.

TOTOTE

Se trouve sur l'arbre à pain, de forme allongée.
Se prépare en beignets.

TOUFFÉE

Se dit pour une cuisson à l'étouffée.

VANILLE

Fruit du vanillier, employé comme parfum pour les pâtisseries (sous forme d'essence, de gousse ou de poudre).
La vanille est d'excellente qualité aux Antilles. On en trouve particulièrement en Guadeloupe.

VANILLON

Grosse gousse de vanille très parfumée que l'on utilise pour faire de l'essence de vanille et pour la pâtisserie.

Z'HABITANT

Grosse écrevisse.
Ne pas confondre avec la soupe Z'habitants (ou soupe des habitants) faite de légumes et d'herbages.

Z'YEUX NOIRS

Variété de pois (haricot ou pois dont le germe noir a la forme d'un œil).

SOUPES

SOUPE À L'AVOCAT

Préparation : 15 minutes   Cuisson : 25 minutes

Pour 4 personnes :
3 avocats • 1 gousse d'ail • 1 litre de bouillon de pot-au-feu (on peut utiliser un cube Maggi) • sel • poivre • 4 cuillerées à soupe de crème fraîche • 4 croûtons frits au beurre

Eplucher les avocats ; en réduire deux en purée (au mixer ou au tamis), bien saler, bien poivrer et ajouter une gousse d'ail pilée.
Faire chauffer cette préparation au bain-marie et mouiller avec un litre de bouillon de pot-au-feu. Remuer à la cuillère de bois jusqu'à ébullition. Ajouter la crème fraîche et laisser mijoter sans bouillir 5-10 minutes. Garnir la soupe de l'autre avocat coupé en dés, éventuellement de quelques croûtons frits au beurre, et servir soit tiède, soit froid, selon votre goût.

SOUPE DE GIRAUMON

Préparation : 15 minutes   Cuisson : 25-30 minutes

Pour 4 personnes :
1 belle tranche de giraumon (potiron) • 1 oignon-France • 1 gousse d'ail • sel • poivre • persil • 1/4 de litre de lait • 1 tasse à thé de riz • noix de muscade râpée • 30 g de beurre

Eplucher et couper en morceaux le giraumon, le faire cuire dans de l'eau salée avec du poivre, un oignon, une gousse d'ail et du persil pendant

15 minutes. Lorsque le giraumon est cuit, le passer au presse-légumes ou au mixer, ajouter un peu d'eau de cuisson et 1/4 de litre de lait, de la noix de muscade râpée en petite quantité et le riz. Quand le riz est cuit, servir avec quelques noisettes de beurre.

SOUPE À L'IGNAME

Préparation : 20 minutes   Cuisson : 35 minutes

Pour 4 personnes :
1 livre 1/2 d'ignames • 4 poireaux • sel • poivre • 1 petit verre de lait • 30 g de beurre • 4 croûtons frits

Eplucher les ignames (enlever la peau épaisse et les parties qui ne sont pas blanches à l'aide d'un couteau bien aiguisé). Les couper en morceaux, et les faire bouillir dans l'eau salée avec les poireaux. Lorsque les légumes sont cuits, les passer au moulin à légumes ou au mixer. Ajouter un peu d'eau de cuisson, un petit verre de lait et laisser cuire 10 minutes. Servir la soupe chaude, accompagnée de croûtons revenus au beurre, après avoir rectifié l'assaisonnement selon votre goût.

SOUPE DE FRUIT À PAIN

Préparation : 15 minutes   Cuisson : 25 minutes

Pour 4 personnes :
1 beau fruit à pain • 2 oignons-France • 2 gousses d'ail • sel • poivre • lardons ou croûtons frottés à l'ail • 1 verre de lait • 2 cuillerées à soupe de crème fraîche

Enlever la peau épaisse et le cœur du fruit à pain, le couper en morceaux et le faire cuire dans de l'eau avec les oignons, l'ail, le sel, le poivre.
Lorsque la soupe est cuite la passer au moulin à légumes, ou au mixer. Ajouter un peu d'eau de cuisson, de lait, et remettre sur le feu quelques minutes en incorporant la crème fraîche au dernier moment. Servir soit avec des croûtons frottés à l'ail soit avec des lardons revenus.

30

SOUPE À CONGO

Préparation : 45 minutes   Cuisson : 2 heures

Pour 4 personnes :
400 g d'ignames blanches • 400 g de malanga ou de
chou dur • 1 poireau • 2 carottes • 150 g de giraumon
• 150 g de concombres ou massicis (petits concombres) •
2 feuilles d'oseille • 1 aubergine ou bélangère • 200 g
de haricots verts (appelés pois tendres) • 400 g de pois
mélangés (pois d'Angole ; pois savon ; pois boucous) ce
sont différentes sortes de haricots qui s'appellent pois
aux Antilles • sel • poivre • 2 gousses d'ail • 1
oignon-France • piment • 1 clou de girofle • 200 g de
lard coupé en dés • 2 litres d'eau

Eplucher tous les légumes, en les coupant en petits morceaux, et les mettre à
l'eau bouillante salée poivrée avec les épices et 200 g de lard coupé en dés.
Couvrir et laisser mijoter pendant 2 heures.
Cette soupe doit avoir une consistance assez épaisse.
Cette recette est d'origine africaine (Congo).

SOUPE Z'HABITANTS

Préparation : 40 minutes   Cuisson : 1 heure, 1 h 30

Pour 4 personnes :
3 carottes • 1 poireau • 3 pommes de terre • 1 morceau de giraumon (potiron) • 250 g d'épinards • quelques feuilles de chou • quelques feuilles de pourpier
(herbe antillaise) • 1 branche de céleri • 1 poignée de
haricots verts (facultatif) • 3 cuillerées à soupe d'huile
• 1 oignon-France • 1 bouquet garni (oignons-pays,
thym, persil à larges feuilles) • 1 gousse d'ail pilée • 1
piment • 2 feuilles de bois d'Inde • sel • poivre •
400 g de cochon salé ou de bœuf salé

Eplucher les légumes, les faire revenir dans de l'huile avec le bouquet garni
et les épices (sans le piment) pour leur faire rendre un peu de leur eau. Bien
remuer pour que les légumes n'attachent pas au fond du fait-tout, puis
mouiller avec 1 litre d'eau et laisser cuire à feu modéré une bonne heure.
Entre temps faire cuire à gros bouillons le cochon ou le bœuf salé. Passer la
soupe grossièrement lorsqu'elle est cuite, y ajouter le cochon ou le bœuf
coupé en dés, une cuillerée à soupe d'huile, le piment non éclaté et laisser

mijoter quelques instants à découvert ; au moment de servir ajouter une gousse d'ail pilée.

N.B. — Lorsque l'on fait cuire le piment dans une soupe, on prend soin de ne pas le faire éclater. On ne le coupe qu'au moment de le servir, séparément et si on le souhaite.

SOUPE DE POISSONS

1re recette

Préparation : 1 heure   Cuisson : 45 minutes
Marinade ou assaisonnement : 2 heures

Pour 4 à 6 personnes :
1 kg de poissons variés, rouges de préférence (couronets, petites sardes, etc.) • 2 crabes • 3 ciriques ou étrilles • 3 feuilles de bois d'Inde ou 5 graines écrasées • 2 gousses d'ail • 1 bouquet garni (5 cives ou oignonspays, thym, persil) • sel • poivre • 1 piment (facultatif) • 6 citrons verts

Légumes : **3 carottes • 1 navet • 1 poireau • 1 morceau de giraumon • 1 branche de céleri**
4 ou 6 croûtons

Ecailler, vider et faire mariner le poisson avec les ingrédients suivants : sel, poivre, bois d'Inde, ail pilé, jus de citrons verts et un petit bol d'eau. On frotte l'intérieur des poissons avec la peau des citrons verts. On laisse macérer pendant 2 heures environ.

Faire bouillir les poissons, les crabes et les ciriques dans 2 litres d'eau avec le bouquet garni, sel, poivre, bois d'Inde pendant 15 minutes. (Cette façon de faire mariner et cuire les poissons s'appelle le blaff.)

Détacher les morceaux de poissons et les réserver, filtrer le « blaff », et cuire dans ce bouillon les légumes (1/2 heure). Retirer le céleri et passer les légumes à la moulinette ainsi que les têtes de poissons.

Servir la soupe bouillante sur les morceaux de poissons et les crabes que l'on aura tenus au chaud. Ajouter les croûtons frits.

N.B. — Selon votre goût vous pouvez ajouter un piment à la marinade.

LE CALALOU

C'est une soupe typique composée de légumes verts, de gombos et d'herbages, que l'on accompagne de jambon.

SOUPE DE POISSONS

2ᵉ recette

Préparation : 50 minutes   Cuisson : 1 heure
Marinade ou assaisonnement : 1 à 2 heures

Pour 4 personnes :
1 kg de poissons variés • 2 tomates • 1 gros oignon-France • 3 cuillerées d'huile • 1 bouquet garni (4 oignons-pays, thym, persil) • 4 citrons verts • 4 pommes de terre • 2 carottes • 1 poireau • 1 morceau de giraumon • sel • poivre • 1 gousse d'ail • bois d'Inde : 2 feuilles ou 4 graines écrasées • 100 g de gruyère râpé • 1 piment (facultatif)

Faire mariner les poissons dans le jus des citrons verts, avec sel, poivre, ail écrasé, bois d'Inde et une tasse d'eau pendant 1 heure ou 2.
Faire revenir l'oignon et les tomates dans l'huile, y joindre les poissons et remuer à la cuillère de bois jusqu'à ce qu'ils se défassent. Mouiller avec 1 litre 1/2 d'eau et ajouter les légumes épluchés. Laisser cuire 45 minutes. Passer le tout à la moulinette y compris les poissons et leurs arêtes (deux fois, si nécessaire), et servir la soupe bien chaude avec du gruyère râpé.
N.B. — On peut ajouter un piment dans la marinade si on le désire.

SOUPE AUX OUASSOUS

Les ouassous sont les écrevisses en Guadeloupe. On parle aussi de cribiches (déformation créole du mot écrevisses) ou encore de « Z'habitants » en Martinique lorsque la grosseur devient plus importante.

Préparation : 30 minutes   Cuisson : 40 minutes

Pour 4 personnes :
750 g de ouassous ou de cribiches (écrevisses) • 2 oignons-France • 1 piment • 50 g de beurre • sel • poivre • 1 litre 1/2 d'eau • 1 cuillerée à soupe de fécule • 2 cuillerées de crème fraîche

Laver et nettoyer les ouassous. Faire revenir dans du beurre les oignons hachés, un peu de piment et les ouassous. Lorsque le tout est coloré mouiller avec l'eau, saler, poivrer, couvrir et laisser cuire à petits bouillons pendant 30 minutes. Réserver quelques queues décortiquées et piler le reste au mortier

puis passer au tamis. Remettre dans l'eau de cuisson cette préparation en ajoutant une cuillerée de fécule pour lier et laisser mijoter 10 minutes.
Servir la soupe avec les queues décortiquées, deux cuillerées de crème fraîche ou quelques noisettes de beurre.

SOUPE DE TRIPES

Préparation : 15 minutes   Cuisson : 40 minutes

Pour 4 personnes :
500 g de tripes de bœuf ou de porc • 3 cuillerées d'huile • 2 oignons-France + 1 oignon-brûlé • 3 tomates • 1 gousse d'ail • 1 citron vert • persil • sel • poivre • 1 tasse à thé de riz

Nettoyer les tripes en les frottant avec un citron coupé en deux et en les grattant avec un couteau.
Faire revenir les oignons, l'ail, le persil et les tomates dans de l'huile, lorsque le tout est coloré, mouiller avec un litre d'eau, saler, poivrer ; à l'ébullition, ajouter les tripes coupées en dés et un oignon brûlé à la flamme, pour corser le bouillon.
On peut incorporer une tasse à thé de riz et laisser cuire 30 minutes.

SOUPE DE VIANDE
OU
POT-AU-FEU CRÉOLE

Préparation : 25 minutes   Cuisson : 4 heures

Pour 4 personnes :
750 g de rouelle de bœuf avec le cordon gélatineux • 1 ou 2 os à mœlle • 4 carottes • 2 navets • 2 poireaux • 4 pommes de terre • 1/4 de chou • 2 branches de céleri • 1 oignon-France piqué de 2 clous de girofle + 1 oignon brûlé • sel • poivre
Sauce vinaigrette : 1 cuillerée de vinaigre • 3 cuillerées d'huile • 1 gousse d'ail écrasée • 2 échalotes hachées • 1 oignon-France haché • 2 oignons-pays émincés • piment • sel • poivre

Mettre la viande et les os dans 3 litres d'eau froide et les faire bouillir pendant une heure. Ecumer au début de la cuisson. Saler, poivrer. Ajouter les 2 oignons dont un aura été roussi à la flamme pour colorer le bouillon.

Introduire les légumes suivants : chou, carottes, navets, céleri, poireaux et les pommes de terre (20 minutes avant la fin de la cuisson). Laisser mijoter 3 heures. Servir le bouillon séparément puis la viande et les légumes accompagnés de la sauce vinaigrette que l'on pimente selon son goût. On peut ajouter un filet de vinaigre de piment-confit, si on le désire.

Pour les restes du pot-au-feu : faire revenir une tomage et un oignon-France émincé, mouiller avec un peu de bouillon et ajouter le reste de viande et de légumes coupés en dés et un hachis de persil.

PÂTÉ EN POT

Le pâté en pot est un plat typique qui a l'aspect d'une soupe très riche et qui se mange à l'occasion de fêtes.

Préparation : 1 heure   Cuisson : 3 heures

Pour 8 personnes :
1 tête de mouton sans la cervelle, le foie, la panse, les tripes et les pattes du mouton.
Si on ne trouve pas ces abats, on peut remplacer par :
1 pied de veau • des tripes • du foie de génisse •
1 morceau de poitrine de mouton • 3 clous de girofle •
2 feuilles de laurier • 2 oignons-France • 1 gousse d'ail
• 3 cuillerées à soupe d'huile • 2 verres de vin blanc •
1 livre de carottes • 1 livre de giraumon (potiron) •
1/2 chou • 4 navets • 4 poireaux • 2 branches de céleri • 4 pommes de terre • sel • poivre

Faire cuire dans 2 litres d'eau, avec les clous de girofle et le laurier, le pied, les tripes si elles sont grosses, les morceaux de viande et le foie. Ne saler que lorsque la cuisson est commencée afin d'éviter le durcissement de la viande.

Couper les légumes en petits carrés (sauf le céleri) et les oignons en fines lamelles, les faire revenir dans 3 cuillerées à soupe d'huile (terminer par les pommes de terre et le giraumon qui collent plus facilement). Remuer à la cuillère de bois et incorporer peu à peu l'eau de cuisson de la viande après avoir écumé, puis toutes les viandes coupées en dés d'1 cm de côté environ.

Laisser mijoter viandes et légumes, pendant 2 heures, en ajoutant le céleri, le poivre ; rectifier l'assaisonnement en sel.

Au moment de servir introduire 2 verres de vin blanc, une gousse d'ail pilée et accompagner le plat à table de câpres et de « piment-confit ».

« Piment-confit »
Mettre dans un pot à confiture en parties égales les ingrédients suivants : piments coupés en deux dans le sens de la longueur, carottes en bâtons, haricots verts coupés, petites échalotes et morceaux de choux-fleurs.
Remplir de vinaigre d'alcool blanc et laisser macérer pendant 24 heures au moins avant de les consommer.
Surtout n'essayez pas de manger le piment, vous y laisseriez votre palais !

CALALOU

Le calalou est une soupe à base de légumes verts et d'herbages (qui sont des feuilles tendres de choux, appelées « herbes à calalou »). En Guadeloupe, les feuilles de chou caraïbe s'appellent séguine et madère.
On peut faire le calalou soit avec du porc (jambon, lard), soit avec des crabes.

1re recette

Préparation : 35 minutes   Cuisson : 55 minutes

Pour 4 personnes :
1 livre de gombos • 4 paquets d'herbages (1 livre d'épinards à défaut) • 1 oignon-France • 1 bouquet garni (oignons-pays, thym, persil) • sel • poivre • 3 citrons verts • 1 gousse d'ail • 1 talon de jambon ou 250 g de lard ou oreilles et queue de cochon

Nettoyer les gombos en enlevant la queue, les herbages en retirant les nervures centrales ; bien laver le tout ; couper et mettre à bouillir dans 1 litre 1/2 d'eau, avec le bouquet garni, sel, poivre et l'oignon. Faire cuire pendant 40 minutes, passer grossièrement à la moulinette. Remettre sur le feu sans laisser bouillir en incorporant le jambon en morceaux, ou le lard, l'ail pilé et le jus des 3 citrons verts.

Surtout ne pas laisser bouillir le calalou déjà passé, il perdrait tout son velouté.

CALALOU AUX CRABES

2ᵉ recette

Préparation : 30 minutes   Cuisson : 45 minutes

Pour 4 personnes :
**4 crabes • 1 livre de gombos • 4 paquets d'herbages ou
1 livre d'épinards • 200 g de lard de poitrine • 5 cives
ou oignons-pays • 3 cuillerées d'huile • thym • sel •
poivre • 3 citrons verts • 1 piment • 3 gousses d'ail
pilées**

*Brosser les crabes, enlever les carapaces et les couper en deux en laissant les
pattes attachées. Les faire revenir dans de l'huile avec les oignons-pays, l'ail et
le thym.*
*A part, faire dorer le lard coupé en dés, puis les herbages et les gombos cou-
pés en rondelles. Couvrir avec de l'eau, saler, poivrer. Faire cuire 20 minutes,
agiter vigoureusement au « bâton lélé » (bâton à 3 branches que l'on a coutume d'utiliser en guise de fouet).*
*Verser le calalou sur les crabes, en laissant mijoter 20 minutes tout douce-
ment. Au moment de servir, incorporer les 3 gousses d'ail pilées, le piment
entier et le jus des 3 citrons verts.*

CALALOU À LA CHIQUETAILLE
DE MORUE

Aux Antilles, on appelle « chiquetaille de morue »
la morue grillée, émiettée et imprégnée d'une vinaigrette relevée d'oignons-pays, d'échalotes coupées
finement, d'ail pilé et de piment.

Préparation : 50 minutes   Cuisson : 55 minutes

Pour 4 personnes :
**1 livre de gombos • 4 paquets d'herbages (ou 1 livre
d'épinards) • 1 oignon-France • 1 bouquet garni
(oignons-pays, thym, persil) • sel • poivre • 3 citrons
verts • 1 gousse d'ail • 1 talon de jambon ou oreilles
et queue de cochon • 200 g de morue**
Sauce vinaigrette : **oignons-pays • vinaigre • huile •
poivre • échalotes • ail • piment
1 petit bol de riz**

Préparer le calalou en suivant la 1ʳᵉ recette, le servir avec la chiquetaille de morue. On utilise la morue séchée que l'on fait griller directement à la flamme du gaz.

Servir dans des assiettes creuses, le riz, la chiquetaille et arroser largement de calalou.

« AMUSE-GUEULE »

ACRAS

Les acras ou « marinades » sont des beignets que l'on sert, le plus souvent à l'apéritif, mais ils peuvent aussi constituer une délicieuse entrée, ou un dîner léger en les accompagnant d'une salade verte bien relevée.

Ils sont généralement à la morue, mais il y a bien d'autres recettes surtout à base de légumes. Libre cours à votre imagination !...

ACRAS MORUE

Préparation : 25 minutes   Cuisson : 45 minutes environ

Pour 4 personnes :
200 g de farine • 1 verre d'eau • 1 pincée de bicarbonate de soude • 1 oignon-France • 1 gousse d'ail • 5 oignons-pays • thym • persil • 1/2 piment • sel • poivre • 100 g de morue • 2 œufs • 1 filet de vinaigre

Faire tremper la morue dans l'eau froide quelques heures. Puis la faire bouillir 30 minutes.
Battre la farine au fouet en incorporant au fur et à mesure l'eau pour éviter qu'elle ne fasse des grumeaux.
Laisser la morue refroidir, en retirer la peau et les arêtes, la hacher finement avec l'oignon-France, l'ail, les oignons-pays, le thym, le persil et le piment. Si vous voulez une pâte très homogène, vous pouvez passer cette préparation au mixer. Assaisonner selon votre goût et ajouter à la pâte 2 jaunes d'œufs, un filet de vinaigre et, juste avant de les faire cuire, une pincée de bicarbonate de soude et les blancs d'œufs battus en neige très ferme.

Plonger les acras dans l'huile très chaude, 5 minutes environ, à l'aide d'une cuillère à café. En petite quantité ils gonfleront mieux.

N.B. — On peut préparer la pâte à l'avance, elle sera meilleure, mais le bicarbonate et les blancs doivent être incorporés au tout dernier moment.

Il faut aussi peu de morue pour que les acras ne soient pas trop denses et plus digestes.

PÂTE À ACRAS

Préparation : 20 minutes

Pour 4 personnes :
200 g de farine • 1 verre d'eau • 1 pincée de bicarbonate de soude • 1 oignon-France • 1 gousse-d'ail • 5 oignons-pays • thym • persil • 1/2 piment • 2 œufs • sel

Cette préparation sera valable pour les acras aux poissons ainsi que pour les acras-légumes.

Battre la farine au fouet et ajouter au fur et à mesure l'eau pour éviter que la farine ne fasse des grumeaux.

Hacher finement l'oignon, l'ail, le piment, les oignons-pays, le thym, le persil. Saler, incorporer 2 jaunes d'œufs et laisser reposer la pâte en y introduisant l'ingrédient de base (poissons ou légumes). Au dernier moment, mettre une pincée de bicarbonate de soude et les blancs d'œufs battus en neige très ferme.

Faire cuire les acras. Les plonger dans l'huile très chaude à l'aide d'une cuillère à café.

ACRAS TITIRIS, PISQUETTES

Les titiris et les pisquettes sont de petits poissons que l'on trouve à l'embouchure des rivières. Les titiris sont si petits qu'ils se pêchent avec une moustiquaire en guise de filet.

Préparation : 30 minutes   Cuisson : 20 minutes

Pour 4 personnes :
200 g de titiris • pâte à acras (voir la recette)
Marinade : **sel • poivre • 1 gousse d'ail • 2 citrons verts • 1/2 piment**

Laver les titiris et les pisquettes pour faire partir le sable.

Les faire mariner avec le jus des citrons, le sel, le piment et l'ail écrasés pendant une bonne demi-heure.

Préparer la pâte suivant la recette, y introduire les poissons et faire cuire dans de l'huile bien chaude.

ACRAS CRIBICHES OU ÉCREVISSES

Préparation : 30 minutes   Cuisson : 15 minutes

Pour 4 personnes :
**500 g de cribiches (écrevisses) • ou 400 g de crevettes •
pâte à acras (voir la recette)
Marinade : sel • poivre • ail écrasé • 1 jus de citron
vert • 1 filet de vin blanc**

Eplucher les cribiches crues et les faire mariner pendant 15 minutes avec du sel, du poivre, de l'ail écrasé, un jus de citron vert et un filet de vin blanc.
Bien les essuyer et les mélanger à la pâte à acras.
Cuire dans l'huile chaude 5 à 10 minutes suivant la coloration désirée.

Vous pouvez remplacer les cribiches par des crevettes grises ou de grosses crevettes ou langoustines. Suivant la taille vous les ferez pocher quelques minutes et vous les couperez avant de les faire mariner. Il en sera de même pour les Z'habitants (grosses écrevisses).

ACRAS D'OURSINS

L'oursin en créole est appelé chadron. C'est un gros oursin blanc que l'on trouve en abondance. L'oursin noir qui a de très longues épines n'est pas comestible et peut provoquer de douloureuses piqûres.

Préparation : 30 minutes   Cuisson : 15 minutes

Pour 4 personnes :
**200 g d'œufs d'oursins
Marinade : sel • poivre • 1 gousse d'ail • 1/2 piment •
2 citrons verts
pâte à acras (voir la recette)**

Faire mariner les œufs d'oursins dans le sel, le poivre, l'ail et le piment hachés et le jus des deux citrons verts pendant 30 minutes environ.

Les égoutter, les incorporer à la pâte à acras et les cuire à l'huile bien chaude.

ACRAS DE CERVELLE

Préparation : 30 minutes   Cuisson : 20 minutes

Pour 4 personnes :
2 cervelles de mouton ou 1 cervelle de veau • 1 bouquet garni (2 oignons-pays, thym, persil) • pâte à acras (voir la recette)

Nettoyer la cervelle sous l'eau froide et la faire blanchir avec le bouquet garni. La couper en morceaux et l'incorporer à la pâte à acras.
Cuire dans la friture bien chaude.

ACRAS DE CAROTTES

Préparation : 30 minutes   Cuisson 15 minutes

Pour 4 personnes :
200 g de carottes • 1 citron vert • pâte à acras (voir la recette)

Râper finement les carottes et les arroser du jus d'un citron vert.
Les incorporer à la pâte à acras et plonger dans l'huile bouillante à la petite cuillère.

ACRAS DE CHRISTOPHINES

Préparation : 30 minutes   Cuisson : 15 minutes

Pour 4 personnes :
1 très belle christophine • 1 citron vert • pâte à acras (voir la recette)

Couper la christophine en deux, enlever le cœur qui est filandreux et retirer la peau avec un bon couteau.
Râper la christophine crue, l'arroser du jus d'un citron vert et l'incorporer à la pâte à acras.
Faire cuire par petites cuillerées à l'huile bouillante.

ACRAS DE CHOU DUR

Le chou dur est une racine qui s'utilise le plus souvent comme légume cuit à l'eau salée. Un tubercule central appelé « maman chou » est planté et de petits tubercules oblongs viennent pousser tout autour : ce sont les « graines de chou » ; elles ont la taille d'une grosse pomme de terre.

Préparation : 30 minutes   Cuisson : 15 minutes

Pour 4 personnes :
1 « maman chou » • **1 morceau de giraumon (potiron)** • **sel** • **poivre** • **pâte à acras (voir la recette)**

Râper la « maman chou » et le giraumon crus.
Saler, poivrer et mélanger à la pâte à acras.
Mettre dans le bain de friture bien chaud à l'aide d'une petite cuillère.

ACRAS DE CHOU-COCO

Le « chou-coco », cœur du cocotier, se trouve au centre du tronc, au sommet de l'arbre, là'où les palmes viennent s'accrocher. Il est constitué des feuilles en formation. Il n'y en a qu'un par cocotier et l'arbre doit être abattu pour le prélever ; cette opération se fait quand les cocotiers poussent de façon trop dense. Le « chou-coco » est donc un mets recherché.
Les feuilles naissantes, effilées, sont consommées crues avec une vinaigrette. L'autre partie, la hampe ou nervure centrale est dégustée cuite ou crue.

Préparation : 30 minutes   Cuisson : 15 minutes

Pour 4 personnes :
200 g de chou-coco • **sel** • **pâte à acras (voir la recette)**

Couper en dés la partie dure du chou-coco, saler légèrement et incorporer à la pâte à acras.
Cuire à l'huile chaude par petites quantités.

ACRAS D'AUBERGINES

Préparation : 30 minutes   Cuisson : 30 minutes

Pour 4 personnes :
2 belles aubergines • **sel** • **pâte à acras (voir la recette)**

*Eplucher les aubergines et les faire cuire à l'eau salée, 15 minutes environ.
Les écraser à la fourchette ou les passer au mixer et les incorporer à la pâte
à acras.
Frire à l'huile chaude par petites quantités en évitant que les acras se tou-
chent.*

ACRAS POIS Z'YEUX NOIRS

Les pois sont les haricots en créole.
Les pois Z'yeux noirs sont des haricots blancs secs
qui ont un petit « œil » noir. On a coutume de
préparer les acras de pois Z'yeux noirs le Vendredi
Saint.

Préparation : 35 minutes   Cuisson : 30 minutes

Pour 4 personnes :
250 g de pois Z'yeux noirs • **sel** • **pâte à acras**
(voir la recette)

*Faire tremper les pois pendant 24 heures.
Enlever la pellicule qui les recouvre avant de les piler au mortier avec très
peu d'eau salée.
Battre cette préparation avec la pâte à acras et cuire à l'huile bien chaude.*

SOUSKAÏ

On appelle souskaï la façon d'assaisonner certains
fruits, généralement verts, que l'on sert à l'apéritif.

SOUSKAÏ DE MANGUES VERTES

Préparation : 10 minutes

Pour 4 personnes :
2 mangues bien vertes et fermes • 1 gousse d'ail • 1 piment • 2 citrons verts • sel

Eplucher les mangues, les couper en cubes et les faire macérer pendant 1 heure dans le jus de 2 citrons verts avec du sel, de l'ail écrasé et du piment émincé. Servir les mangues piquées de bâtonnets.

SOUSKAÏ DE PRUNES DE CYTHÈRE VERTES

Préparation : 10 minutes

Pour 4 personnes :
4 prunes de cythère bien vertes • 1 gousse d'ail • 1 piment • 2 citrons verts • sel

Eplucher à vif les prunes de cythère vertes. Détacher la chair du noyau et la couper en dés.
Faire macérer avec l'ail écrasé, le jus des citrons verts, le sel et le piment coupé finement, pendant 1 heure environ.
Servir à l'apéritif de la même manière que le souskaï de mangues vertes, avec quelques piques.

SOUSKAÏ DE COCO SEC

On utilise, pour cette recette, le coco sec.
La noix de coco, mûre, tombe toute seule de l'arbre. C'est ce coco sec que l'on vend, entier ou coupé en morceaux, en métropole.

Préparation : 10 minutes

Pour 4 personnes :
1/2 coco • sel • ail • piment • 2 citrons verts

Couper la partie blanche du coco en lamelles que l'on fait macérer, 1 heure environ, avec l'ail écrasé, le sel, le jus des citrons et le piment émincé. Servir le tout dans son jus. Mais faites attention de ne pas manger le piment !...

N.B. — *On peut procéder de la même manière avec les parties fermes d'un chou-coco coupées en carrés.*

PÂTÉS SALÉS

Préparation : 30 minutes   Cuisson : 25 minutes

Pour 4 personnes :
Pâte brisée : **200 g de farine** • **100 g de beurre** • **1 œuf** • **1 pincée de sel**
1 jaune d'œuf • **1 cuillerée de lait** • **1 cuillerée d'huile**

Farce : **200 g de porc haché** • **100 g d'épinards (facultatif)** • **1 piment** • **1 gousse d'ail** • **2 graines de bois d'Inde** • **1 clou de girofle** • **4 oignons-pays** • **thym, persil** • **sel** • **poivre**

Préparer la pâte brisée en mélangeant la farine, le beurre, une pincée de sel et un œuf entier pour lier. Laisser reposer quelques heures et étendre au rouleau pour la confection des pâtés. (On peut aussi utiliser une pâte feuilletée.)
Passer la viande de porc au hachoir (il ne faut pas un morceau trop sec) avec les épinards lavés et blanchis, l'ail, le piment, les oignons-pays, le thym et le persil. Ajouter les graines de bois d'Inde et le clou de girofle moulus finement. Saler, poivrer.
Faire « roussir » la farce dans une cuillerée à soupe d'huile.
Découper des ronds de pâte à l'aide d'un verre retourné et mouillé, les garnir de farce et les recouvrir d'un autre rond de pâte en ayant bien soin de lier les bords du pâté. Dorer le couvercle au jaune d'œuf battu avec une cuillerée de lait. Faire cuire à four chaud pendant une vingtaine de minutes.
N.B. — *Les pâtés salés, appréciés toute l'année à l'apéritif, ou encore en guise de « tienbé cœur » (petit soutien en cas de fringale), sont de rigueur au repas de Noël.*

BOUDIN CRÉOLE

Recette de Madame Eugène à Grand'Anse (Martinique).

Préparation : 45 minutes   Cuisson : 20 à 25 minutes

Pour 6 à 8 personnes :
6 oignons-pays • **2 oignons-France** • **persil** • **bois d'Inde (feuilles et graines moulues)** • **gros thym (grosses feuilles de thym) ou thym** • **1 piment fort** • **2 pommes de terre bouillies** • **1 verre de lait** • **2 gousses d'ail**

• 1/2 pain rassis trempé dans l'eau et pressé • 1 clou de girofle • 1/4 de litre de sang de bœuf ou de porc • sel • poivre • boyaux naturels ou artificiels (1 petit paquet) • 2 citrons verts • 4 cuillerées d'huile • 70 g de farine • cordes de bananes (ou ficelle)

Laisser macérer les boyaux retournés dans le jus des 2 citrons verts additionné d'un peu d'eau (pas trop longtemps) puis les lisser au couteau en insistant sur les parties plus grasses.
Eplucher la moitié de l'ail, des oignons-pays, des oignons-France et garder les pelures. Jeter le tout dans un fait-tout rempli d'eau en y ajoutant du gros thym, des feuilles de bois d'Inde et du persil. Saler, poivrer. Faire chauffer.
Passer à la moulinette le reste de l'ail, des oignons-pays, des oignons-France, du persil, du thym, le piment, le pain trempé dans l'eau et pressé, le clou de girofle, les graines de bois d'Inde (moulues au moulin à café) ; bien mélanger le tout et faire revenir dans de l'huile. Ajouter les pommes de terre bouillies et écrasées en purée, 1 verre de lait, un peu d'eau du pain trempé, le sang de bœuf (que l'on aura salé et fouetté longuement pour qu'il ne coagule pas) et la farine tamisée. Rectifier l'assaisonnement, en salant et en goûtant si vous le pouvez !...
Garnir de cette préparation les boyaux à l'aide d'un entonnoir, sans trop les remplir. Les attacher tous les 10 cm environ, avec une corde de banane ou un lien souple. Les plonger dans le bouillon de cuisson (celui-ci ne doit pas bouillir mais frémir). Veiller à ce que le boudin ne touche ni les bords, ni le fond de la marmite. Les cuire une quinzaine de minutes.
Si vous achetez le boudin tout fait, vous le réchaufferez en le plongeant dans une eau salée frémissante avec un bouquet garni (oignons-pays, thym, persil), vous couvrirez et le laisserez tiédir 10 minutes hors du feu.
Servir à l'apéritif le boudin créole avec quelques petites tranches de pain. Le boudin se mange avec les doigts ; on déguste l'intérieur et on laisse la peau. Et, bien sûr, on l'accompagne de « punch »...

SANG FRIT

Préparation : 15 minutes   Cuisson : 20 minutes

Pour 4 personnes :
250 g de sang de bœuf • 1 bouquet garni (oignons-pays, thym, persil) • 1 oignon-France • 1 piment • 3 cuillerées à soupe d'huile • 1 cuillerée à soupe de vinaigre • 1 hachis de persil • sel • poivre

On achète le sang coagulé sous forme de pavé chez le boucher.
Le faire bouillir 15 minutes dans de l'eau salée et poivrée avec le bouquet

47

garni. Le laisser refroidir et le découper en languettes d'un demi cm d'épaisseur. Le faire frire 5 minutes à la poêle dans un peu d'huile, avec l'oignon et le piment émincés. Ajouter un filet de vinaigre, le persil haché et servir tiède ou froid, selon votre goût.

A la façon antillaise, le sang frit peut servir de garniture pour un sandwich.

LES AMUSE-GUEULE ANTILLAIS

Pâtés salés, boudin créole, chips de banane, acras et féroce d'avocat.

HORS-D'ŒUVRE ET ENTRÉES

SALADE D'AVOCATS

Préparation : 10 minutes

Pour 4 personnes :
2 avocats • 1 cuillerée à café de moutarde • 1 cuillerée
à café de vinaigre • 3 cuillerées d'huile • sel • poivre
• 1 pointe d'ail écrasée • 1 jus de citron vert • 2 cives
ou oignons-pays • crevettes, ou chair de crabe à
volonté

Couper les avocats en deux. Retirer la chair sous forme de boulettes à l'aide
d'une petite cuillère à café, sans abîmer la peau des avocats.
Préparer une vinaigrette, en délayant la moutarde avec le vinaigre, ajouter
l'huile, le sel, le poivre (en assez forte quantité), l'ail écrasé et les oignons-pays
hachés. Incorporer la chair de crabe ou les crevettes si vous le désirez. Garnir
les peaux en arrosant d'un jus de citron vert pour éviter que les avocats noir-
cissent. Ne pas les préparer trop longtemps à l'avance.

AVOCAT-MORUE

Préparation : 20 minutes   Cuisson : 20 minutes

Pour 4 personnes :
2 avocats • 150 g de morue épaisse • 1 cuillerée de
vinaigre de vin • 3 cuillerées d'huile • 1 gousse d'ail •
1 piment • 2 oignons-pays • 1 échalote • sel • poivre •
persil

Faire tremper la morue quelques heures à l'avance, la faire pocher (20 minu-
tes environ), enlever la peau, les arêtes et l'émietter. L'arroser de la vinai-

grette suivante : 1 cuillerée de vinaigre de vin, 3 cuillerées d'huile, 1 gousse d'ail et 1 piment écrasés, les 2 oignons-pays, l'échalote, le persil hachés finement, sel et poivre. Lorsque la morue est bien imprégnée de la vinaigrette, ajouter les avocats que vous aurez pelés et coupés en dés. Servir aussitôt.

FÉROCE D'AVOCAT

Préparation : 25 minutes

Pour 4 personnes :
4 avocats • 400 g de morue • 150 g de farine de manioc • 3 cuillerées d'huile • 2 cuillerées de vinaigre • 1 gousse d'ail • 1 oignon-France • 1 échalote • 3 oignons-pays ou cives • piment • 1 citron vert

Faire dessaler la morue dans l'eau quelques heures. Bien la laver, la faire griller sur la braise ou à la flamme de votre gaz, puis l'éplucher en enlevant la peau et les arêtes, la hacher et l'arroser de vinaigre, d'huile, d'ail, d'oignon, d'échalote pilés, d'oignons-pays hachés et de piment, coupé très finement, en petite quantité selon votre goût. Laisser la morue macérer dans cette sauce.
Peler les avocats, les couper en tranches et les recouvrir de farine de manioc. Ecraser cette préparation à la fourchette et y ajouter la morue.
Servir le tout en arrosant d'un jus de citron vert soit dans un plat creux soit sous forme de boulettes.
Si l'on met trop de piment, cette recette sera « féroce » au palais !

SOUFFLÉ AUX AVOCATS

Préparation : 15 minutes   Cuisson : 30 minutes

Pour 4 personnes :
50 g de beurre • 1 échalote • 1 gousse d'ail • 2 cuillerées à soupe de farine • 1/4 de litre de lait • 1 citron vert • sel • poivre • noix de muscade • 4 avocats • 3 jaunes d'œufs • 5 blancs d'œufs • 1 cuillerée de crème fraîche • 100 g de gruyère râpé

Faire fondre 40 g de beurre, saupoudrer de 2 cuillerées de farine et mouiller avec le lait en tournant à la cuillère de bois, pour éviter les grumeaux, jusqu'à ébullition. Cuire à feu très doux quelques minutes et laisser refroidir.

Eplucher les avocats, les réduire en purée en les passant au mixer. Ajouter le jus d'un citron vert, une échalote et une gousse d'ail hachées, du sel, du poivre, de la noix de muscade râpée puis les jaunes d'œufs mélangés à la crème fraîche.

Incorporer cette préparation à la béchamel que vous avez faite au départ, ainsi que les 100 g de gruyère râpé, et enfin les 5 blancs d'œufs battus en neige très ferme. Beurrer un moule à soufflé et faire cuire à four moyen une trentaine de minutes.

SALADE EXOTIQUE

Préparation : 10 minutes

Pour 4 personnes :
1 pamplemousse • 2 avocats • 1 petite boîte de maïs • 1 tasse à thé de mayonnaise • 2 œufs durs
Mayonnaise : **1 jaune d'œuf • 1 cuillerée de moutarde blanche • huile • sel • poivre • curry • 2 œufs durs**

Eplucher les avocats et les couper en dés ; les incorporer au maïs ainsi que les tranches de pamplemousse.

Faire une mayonnaise très relevée avec une bonne cuillerée de moutarde blanche, sel, poivre et ajouter le curry, en bonne quantité, selon votre goût.

Décorer la salade de rondelles d'œufs durs.

SALADE D'AUBERGINES

Préparation : 15 minutes   Cuisson : 20 minutes

Pour 4 personnes :
2 belles aubergines • 1 cuillerée de vinaigre de vin • 3 cuillerées d'huile • 1 gousse d'ail • 1 échalote • sel • poivre • 2 oignons-pays • 1 hachis de persil

Eplucher de jeunes aubergines et les faire cuire à l'eau salée 20 minutes. Les laisser refroidir et les écraser à la fourchette ; les faire macérer dans une vinaigrette bien relevée, composée de vinaigre de vin, huile, ail et échalote hachés, oignons-pays émincés finement, sel, poivre. Saupoudrer le tout d'un hachis de persil.

Servir très frais.

N.B. — *Les aubergines sont aussi appelées bélangères aux Antilles.*

SALADE DE CHRISTOPHINES

Préparation : 15 minutes   Cuisson : 15 minutes

Pour 4 personnes
2 christophines • 1 cuillerée de vinaigre de vin • 3 cuillerées d'huile • sel • poivre • 1 échalote • 1 gousse d'ail • 2 oignons-pays • persil

1re recette
Couper les christophines en 4 dans le sens de la longueur, retirer la peau et le cœur, en faire de petits cubes que l'on met à cuire dans l'eau salée pendant 15 minutes. Lorsqu'elles sont cuites, bien égoutter les christophines et les arroser de la vinaigrette suivante : vinaigre de vin, huile, sel, poivre, échalote, ail et oignons-pays hachés.
Servir tiède avec un hachis de persil.

2e recette
Eplucher les christophines et les râper (« grager » en créole) sans aller jusqu'au cœur. Les assaisonner d'une vinaigrette comme dans la 1re recette mais en remplaçant le vinaigre de vin par le jus de 2 citrons verts.
Servir bien frais.
N.B. — Les christophines s'appellent parfois chayottes.

SALADE DE GOMBOS À LA CRÉOLE

Les gombos, petits légumes verts allongés (dans certains pays, ils ont le nom plus imagé de « lady's finger »), sont très appréciés des Antillais qui les appellent aussi « asperges du pauvre ».

Préparation : 10 minutes   Cuisson : 20 minutes

Pour 4 personnes :
1 livre de jeunes gombos • 1 piment (facultatif) • ail • sel • poivre • 2 citrons verts • 1 pincée de bicarbonate de soude • 50 g de beurre

Choisir de jeunes gombos bien tendres, les laver et retirer une partie du pédoncule. Les faire cuire, dans très peu d'eau salée, pendant 20 minutes environ, avec une pincée de bicarbonate, si vous voulez qu'ils restent verts, et un piment (facultatif). Ecraser une gousse d'ail sur le fond de votre plat de service et arroser du jus des 2 citrons verts. Verser les gombos et les recouvrir du jus de cuisson. Saler et poivrer la préparation, retirer le piment juste avant de servir. Ajouter un morceau de beurre frais.

Les gombos se mangent, soit à la fourchette en laissant de côté le pédoncule qui est plus ferme, soit à la façon créole, en tenant le pédoncule entre deux doigts et en écrasant le gombo à la fourchette pour qu'il s'imprègne du « jus ». On peut aussi consommer les gombos refroidis accompagnés d'une vinaigrette.

SALADE D'ÉPINARDS

Les épinards que l'on trouve aux Antilles sont différents de ceux de la Métropole. Leurs feuilles s'accrochent à une tige que l'on utilise aussi coupée en « bâtons ». Mais on peut très bien réaliser cette recette avec des « épinards-France ».

Préparation : 20 minutes   Cuisson : 15 minutes

Pour 4 personnes :
1 livre d'épinards • ail • piment • sel • poivre • 1 pincée de bicarbonate de soude • 2 citrons verts • 50 g de beurre

Bien nettoyer les épinards, séparer les feuilles et couper les « bâtons ». Oter les fleurs, s'il y en a, puis mettre à cuire à l'eau froide salée avec une pincée de bicarbonate qui conservera aux épinards leur couleur verte.
Dans le fond de votre plat, écraser la gousse d'ail, arroser avec le jus des citrons verts, saler, poivrer, pimenter. Disposer les épinards et mouiller avec un peu de jus de cuisson.
Servir les épinards tièdes avec quelques noisettes de beurre frais, ou égouttés et froids avec une vinaigrette relevée à l'échalote.

SALADE DE CONCOMBRES

Préparation : 10 minutes

Pour 4 personnes :
2 jeunes concombres • 1 petite gousse d'ail • 2 citrons verts • piment (facultatif) • sel

Eplucher les concombres, les creuser à la petite cuillère pour retirer les pépins et les couper en fines lamelles. Les mettre immédiatement au frais pour qu'ils ne dégorgent pas ; ils doivent rester fermes et croquants. Au moment de servir, écraser l'ail et le piment (facultatif), saler abondamment et arroser avec le jus des deux citrons verts. Le jus de citron doit être mis en dernier pour dis-

soudre le sel. Préparé de cette façon (non dégorgé), le concombre est bien digéré par tous les estomacs.

SALADE DE CHOU POMMÉ

Préparation : 10 minutes

Pour 4 personnes :
1/2 chou pommé, jeune et blanc
Vinaigrette : **1 cuillerée de vinaigre de vin • 3 cuillerées d'huile • 1 gousse d'ail • 1 échalote • piment (facultatif) • sel • poivre**

Couper en chiffonnade le chou jeune et blanc. On peut aussi le « grager » (râper). L'assaisonner avec une vinaigrette bien relevée d'ail et d'échalote écrasés et éventuellement de piment.
Bien mélanger et mettre au frais jusqu'au moment de servir.

On peut faire un assortiment de toutes ces salades, en les agrémentant de tomates, de carottes râpées, etc.
Ces salades, hautes en couleurs et aux goûts divers sont appétissantes surtout les jours chauds...

PATATES DOUCES EN VINAIGRETTE

Préparation : 10 minutes   Cuisson : 20 minutes

Pour 4 personnes :
750 g de patates douces • 4 cuillerées à soupe d'huile • 1 cuillerée à soupe de vinaigre • sel • poivre • cives ou oignons-pays • fines herbes • persil

Eplucher les patates douces, les couper en rondelles ou en cubes et les cuire à l'eau salée 15 à 20 minutes.
Les assaisonner chaudes avec une vinaigrette agrémentée de fines herbes et de persil.

ROUGAIL DE MANGUES VERTES

Préparation : 15 minutes

Pour 4 personnes :
4 mangues vertes • 1 oignon-France • 1 branche de

persil • 2 oignons-pays • thym • 3 cuillerées d'huile •
sel • poivre • 1 petit morceau de piment • 1 œuf

Eplucher les mangues vertes et les couper en morceaux. Les passer à la mouli-nette avec le persil, l'oignon-France, les oignons-pays, le thym. Saler, poivrer et incorporer l'huile à la pâte obtenue en écrasant très finement un peu de piment. Décorer le rougail d'un œuf dur et de persil hachés.

OEUFS FARCIS À LA CRÉOLE

Préparation : 20 minutes   Cuisson : 12 minutes

Pour 4 personnes :
4 œufs • 80 g de mie de pain • 1 verre de lait •
2 gousses d'ail • 1 oignon-France • 4 oignons-pays •
persil • sel • poivre • piment rouge (décoration) • 1
cuillerée d'huile • chapelure

Faire cuire les œufs « au dur » pendant 10 minutes. Les écaler et les couper en deux dans le sens de la longueur. Passer au mouli-persil, l'ail, l'oignon, les oignons-pays, le persil, le thym. Ecraser les jaunes d'œufs à la fourchette avec les épices et la mie de pain, que l'on aura fait tremper préalablement dans du lait. (Si vous faites chauffer le lait, la mie de pain s'en imprégnera très vite.) « Purger » la mie de pain et ajouter une goutte de lait à la farce si elle vous semble épaisse. La faire revenir dans un peu d'huile avec une gousse d'ail écrasée, sans laisser colorer. Rectifier l'assaisonnement et remplir les 1/2 blancs d'œufs de cette farce en ajoutant un peu de chapelure et une lamelle de piment rouge que l'on se gardera bien de consommer.

OEUFS AU « JUS »

Il s'agit d'une recette familiale martiniquaise, spécialité de « Da Richard ». La « Da » est la servante
qui s'occupe particulièrement des enfants et qui
prépare leur nourriture.
On parle de « jus » en créole et non de sauce.

Préparation : 25 minutes   Cuisson : 30 minutes

Pour 4 personnes :
4 œufs • 1 oignon-France • 2 tomates • 1 bouquet
garni (oignons-pays, thym, persil) • 2 cuillerées d'huile
• piment (facultatif) • sel • poivre • 1 graine de bois
d'Inde • 3 cuillerées de vinaigre de vin

Ebouillanter quelques secondes les tomates pour en retirer la peau facilement, les épépiner et les couper en morceaux. Emincer l'oignon. Faire revenir le tout dans un peu d'huile avec le bouquet garni, ajouter le bois d'Inde écrasé. (Il est toujours utile, pour faire la cuisine créole, d'avoir une provision de graines de bois d'Inde réduites en poudre au moulin à café.)

Laisser mijoter le « jus » pendant 15 minutes avec un petit morceau de piment (que l'on retirera au moment de servir) et mouiller avec un peu d'eau si c'est nécessaire. Faire pocher les œufs dans de l'eau salée bien vinaigrée. Il est plus facile de faire pocher les œufs à l'aide d'une louche.

Disposer les œufs dans des ramequins individuels et les arroser du « jus » passé et servir le tout bien chaud.

SOUFFLÉ D'OURSINS

L'oursin comestible aux Antilles est blanc, c'est le « chadron » ; il a une saveur moins iodée que celui de Métropole mais est néanmoins très recherché. On achète les œufs d'oursins au poids.

Préparation : 20 minutes   Cuisson : 25 à 30 minutes
Marinade ou assaisonnement : 1 heure

Pour 4 personnes :
250 g d'œufs d'oursins
Marinade : sel • 2 citrons verts • 1 gousse d'ail • 1 piment
50 g de beurre • 2 cuillerées de farine • 1/4 de litre de lait • sel • poivre • 3 jaunes d'œufs • 1 cuillerée à soupe de crème fraîche • 5 blancs d'œufs • 50 g de gruyère râpé

Laisser macérer les œufs d'oursins crus, pendant une heure, avec l'ail écrasé, le piment en morceaux, le sel et le jus des 2 citrons verts.

Préparer une béchamel en faisant fondre le beurre, remuer à la cuillère de bois avec la farine et mouiller petit à petit avec le lait. Saler, poivrer. Délayer dans un bol à part les jaunes d'œufs avec la crème fraîche, incorporer cette préparation à la béchamel refroidie ; ajouter le gruyère râpé et les oursins bien égouttés (retirer le piment). Au dernier moment, battre les blancs d'œufs en neige, très ferme, et les incorporer peu à peu à l'appareil à soufflé.

Mettre à four moyen (200 ou 6-7) pendant 25 à 30 minutes. Le soufflé est cuit quand il monte et qu'il commence à sentir ; le servir aussitôt.

56

BLAFF D'OURSINS

Le « blaff » est la façon la plus simple de cuire un poisson ou un crustacé après l'avoir assaisonné. On le plonge quelques instants à l'eau bouillante aromatisée et il cuit très peu de temps — ce qui lui garde toute sa saveur.

Le mot « blaff » est une onomatopée : c'est le bruit du poisson qui tombe dans l'eau bouillante.

Préparation : 10 minutes   Cuisson : 5 à 10 minutes
Marinade ou assaisonnement : 1 heure

Pour 4 personnes :
400 g d'œufs d'oursins
Marinade : sel • poivre • 1 gousse d'ail • 4 citrons verts • 1 graine ou 1 feuille de bois d'Inde • 1 piment 1 oignon-France • 1 bouquet garni (oignons-pays, thym, persil)

Faire mariner les œufs d'oursins avec la feuille de bois d'Inde et l'ail écrasé, le piment coupé sans les graines (on appelle graines les pépins en créole), le sel, le poivre et le jus des citrons verts, pendant une heure.
Faire cuire les œufs d'oursins, égouttés, dans 3/4 de litre d'eau aromatisée avec le bouquet garni et l'oignon coupé en lamelles, pendant 5 à 10 minutes.
Servir les oursins avec le jus de cuisson dans une assiette à soupe. Rectifier l'assaisonnement avec le jus d'un autre citron vert si c'est nécessaire. Selon votre goût, ajouter du piment.
N.B. — On sert très souvent pour accompagner les poissons, les crustacés, une assiette avec du piment frais et du citron coupé en « palette » : à l'aide d'un couteau pointu, on découpe le citron vert autour des « graines » centrales, ce qui évite d'avoir les pépins.

TÊTES CHADRONS SAUTÉES

« Les têtes chadrons » sont de grosses coquilles d'oursins blancs qui ont été remplies d'une trentaine d'œufs (soit plusieurs oursins), et colorées en les grillant loin de la braise. On les achète ainsi sur les marchés antillais.

Préparation : 10 minutes   Cuisson : 5 minutes

Pour 4 personnes :
2 têtes chadrons • 2 cuillerées d'huile • 30 g de beurre • 3 oignons-pays • 1 petit oignon-France • 1 hachis de persil • 1 piment (facultatif) • 2 citrons verts

Vider délicatement les coquilles d'oursins en séparant les œufs. Faire revenir ces derniers tout doucement au beurre et à l'huile, dans une poêle, avec les oignons-pays, l'oignon-France et le persil hachés finement. Si vous le désirez, ajouter un peu de piment et servir chaud en arrosant abondamment de jus de citron.

CRABES FARCIS

On distingue aux Antilles 2 sortes de crabes :
— les crabes de mer : les ciriques (les étrilles), les touloulous à carapace rouge ;
— les crabes de terre, qui sont les plus appréciés s'ils ont été bien traités. Avant de les consommer, on aura soin de les nourrir pendant une dizaine de jours de graines de maïs, de mangues, de piment, de feuilles de fruit à pain séchées, pour les engraisser et les débarrasser des mauvaises nourritures prises dans les marécages.

Préparation : 1 heure   Cuisson : 35 minutes

Pour 4 personnes :
10 crabes • 4 citrons verts • 1 bouquet garni (oignons-pays, thym, persil) • 8 piments Z'oiseaux (décoration) • 1 piment • 100 g de mie de pain trempée dans du lait • persil • 4 cives ou oignons-pays • 1 gousse d'ail • sel • poivre • chapelure • 30 g de beurre

Brosser énergiquement les crabes et les jeter vivants à l'eau bouillante salée, aromatisée d'un bouquet garni, de jus de citrons en grande quantité et d'un demi piment. Il faut environ 15 minutes pour les cuire.
Décortiquer toutes les parties comestibles du crabe en ayant bien soin de ne pas abîmer la carapace (vous n'en garderez que 8).
Faire revenir, pendant 10 minutes, la chair des crabes finement émiettée avec la mie de pain essorée, les oignons-pays, l'ail et l'autre moitié du piment hachés. Mouiller, si c'est nécessaire, avec un peu de jus de cuisson des crabes. Rectifier l'assaisonnement de la farce en sel et poivre.
Garnir les carapaces de cette préparation et décorer avec la chapelure, un brin de persil et un petit piment oiseau (que vous vous garderez bien de porter à la bouche !).
Avant de mettre au four, disposer une noisette de beurre sur chaque crabe. Cuire 10 minutes et servir chaud.

On peut également utiliser cette recette pour les ciriques (ou étrilles).

En Métropole, à défaut de crabes de terre, on pourra farcir, à la façon créole, les tourteaux ou les étrilles.

58

CRUSTACÉS

CHATROU À LA CASSEROLE

Le chatrou, aux Antilles, c'est le poulpe.

Préparation : 35 minutes   Cuisson : 45 minutes

Pour 4 personnes :
1 chatrou de bonne taille • 3 citrons verts • 1 bouquet garni (thym, oignons-pays, persil) • bois d'Inde (feuilles ou graines) • 2 feuilles de laurier • 1 cuillerée d'huile • sel • poivre • 1 gousse d'ail • 1 verre de vin rouge • 2 clous de girofle • 3 tomates • 1 cuillerée à soupe de concentré de tomates • 1 oignon • 1 piment

Frotter le chatrou à l'aide d'une feuille de journal froissée ou de feuilles de giraumon ou de christophines pour en retirer la glu. Retourner le bonnet (ou la calotte) pour faire sortir l'encre. Bien le battre (c'est le plus important), le rincer puis le badigeonner copieusement avec 3 moitiés de citrons verts et le couper en morceaux assez gros. Le mettre à la cocotte avec du sel, du poivre, un peu d'huile, un bouquet garni, le bois d'Inde, 2 clous de girofle, de l'ail, du piment non écrasé et 2 feuilles de laurier. Couvrir avec très peu d'eau, car il rendra son jus en cuisant. Ajouter 3 tomates pelées et épépinées, un oignon émincé et un peu de concentré de tomates. Porter à ébullition. Quand l'eau est évaporée, laisser roussir en arrosant de temps en temps d'un peu d'eau ; terminer avec un verre de vin rouge, une gousse d'ail pilée et rectifier l'assaisonnement avant de servir (citron, sel, poivre).

Le chatrou se sert traditionnellement avec des haricots rouges « crevés » (bien cuits) dans leur jus de cuisson et un riz « debout » (pas trop cuit et dont les grains se détachent).

Le lambi est un gros coquillage des Antilles dont l'intérieur est rose et nacré. Pour déguster le lambi, vous devrez vous résigner à casser la conque dans sa partie inférieure, afin de pouvoir en sortir la chair.

Il vous faudra enlever l'intestin et la glu à l'aide d'une feuille de journal ou de feuilles de giraumon (potiron), battre longuement le lambi, le rincer et le citronner. Pour rendre le lambi plus tendre, vous pouvez l'ébouillanter quelques secondes et retirer la fine pellicule dont il est recouvert.

Cette préparation est valable pour toutes les recettes de lambis.

Pour vous faciliter la tâche, vous trouverez le lambi nettoyé (congelé le plus souvent) prêt à être cuisiné.

LAMBIS GRILLÉS

Préparation : 40 minutes   Cuisson : 15 minutes
Marinade ou assaisonnement : 2 heures

Pour 4 personnes :
2 lambis • 3 citrons verts • sel • poivre
Sauce chien : 2 échalotes • 1 gousse d'ail • 3 oignons-pays • persil • piment • 1 cuillerée à soupe d'huile • 1 citron vert • 1 bol d'eau bouillante

Laisser macérer les lambis nettoyés et battus dans le jus de 3 citrons verts avec du sel, pendant 2 bonnes heures. Les faire griller, de préférence, à la flamme vive d'un feu de bois. Les couper en morceaux et les servir baignant copieusement dans une sauce chien composée de persil, échalotes, oignons-pays, ail, hachés menu, d'un piment éclaté, sel, poivre, d'une cuillerée d'huile et d'un jus de citron vert, le tout arrosé d'eau bouillante.

Vous pouvez aussi présenter les morceaux de lambis grillés sur des brochettes et arrosés de la même sauce.

Les lambis grillés se servent souvent à l'apéritif ou en entrée.

FRICASSÉE DE LAMBIS

Préparation : 30 minutes   Cuisson : 55 minutes
Marinade ou assaisonnement : 2 heures

Pour 4 personnes :
2 lambis • 3 tomates • 3 citrons verts • 1 bouquet garni (oignons-pays, thym, persil) • sel • poivre • 3 cuillerées à soupe d'huile

Laisser mariner pendant 2 heures les lambis, nettoyés et coupés en morceaux, dans le jus de 2 citrons verts, avec du sel et une gousse d'ail écrasée.
Dans une casserole couverte, les faire bouillir à l'eau salée, une quarantaine de minutes. Vérifier leur cuisson (ils doivent être tendres).
A part, faire revenir dans 3 cuillerées à soupe d'huile les tomaies, le bouquet garni, les 2 autres gousses d'ail, pendant 5 minutes environ, avant d'ajouter les morceaux de lambis. Mouiller avec le jus de cuisson des lambis et laisser mijoter tout doucement 10 minutes. Ajouter le jus d'un citron vert au dernier moment. Servir cette fricassée accompagnée de haricots rouges, de riz ou de légumes du pays.

COQUILLES DE LAMBIS

Préparation : 20 minutes   Cuisson : 30 minutes
Marinade ou assaisonnement : 2 heures

Pour 4 personnes :
2 lambis • 2 citrons verts • 2 gousses d'ail • 1 bouquet garni (thym, oignons-pays, persil) • 1 piment • 3 cuillerées à soupe d'huile • 40 g de beurre • 2 cuillerées à soupe de farine • 1/4 de litre de lait • 1 oignon-France • sel • poivre • noix de muscade • 150 g de gruyère râpé • 200 g de champignons de Paris (facultatif)

Faire mariner les lambis nettoyés, battus, dans le jus de 2 citrons verts, avec du sel, une gousse d'ail écrasée et un piment si vous le désirez, pendant 2 heures environ. Les couper en tout petits morceaux, les faire revenir à feu doux dans un peu d'huile avec l'oignon haché, une gousse d'ail écrasée et les champignons émincés. Préparer une béchamel avec le beurre, la farine et le lait versé progressivement. Saler, poivrer, et râper un peu de noix de muscade. Laisser cuire quelques minutes, incorporer à la béchamel 100 g de gruyère râpé et la préparation des lambis. Verser dans des ramequins individuels allant au four, ou dans des coquilles Saint-Jacques. Parsemer de gruyère râpé et de noisettes de beurre.
Mettre à four chaud, une dizaine de minutes.

LANGOUSTES

La langouste, abondante dans les mers des Antilles, a l'avantage de pouvoir être consommée toute fraîche. La meilleure façon de la préparer est de la plonger vivante (en ayant soin de ne pas briser ses antennes) dans de l'eau de mer que l'on aura fait bouillir avec un bouquet garni (thym, oignons-pays, persil), de l'ail écrasé et un oignon-France piqué de clous de girofle.

Cuite de cette façon, les Antillais préfèrent la déguster avec une vinaigrette relevée d'échalotes ou une sauce chien, plutôt qu'accompagnée de la traditionnelle mayonnaise.

LANGOUSTES GRILLÉES SAUCE CHIEN

Préparation : 15 minutes   Cuisson : 15 minutes

Pour 4 personnes :
2 ou 4 langoustes suivant la taille
Sauce chien : 2 échalotes • 3 oignons-pays • 1 gousse
d'ail • 1 citron vert • 1 piment • 1 bol d'eau chaude
• 1 cuillerée à soupe d'huile • sel • poivre • persil • 1
œuf (facultatif) • câpres (facultatif)

Pour préparer une langouste grillée, il est souhaitable de l'ébouillanter d'abord quelques secondes, pour éviter qu'elle ne soit trop sèche.
Couper les langoustes en deux dans le sens de la longueur et les mettre à griller sur la braise.
Servir avec une sauce chien : échalotes, oignons-pays, ail, persil hachés, sel, piment que l'on retire au moment de servir, citrons verts, huile et eau bouillante. On peut agrémenter cette sauce d'un œuf dur écrasé et de câpres.

La langouste grillée est aussi très appréciée avec un beurre tiédi, citronné et persillé.

FRICASSÉE DE LANGOUSTE

Préparation : 15 minutes   Cuisson : 20 minutes

Pour 4 personnes :
1 belle langouste • 3 cuillerées d'huile d'olive •
2 cuillerées à soupe de concentré de tomates • 1
oignon-France • sel • poivre • 1 verre de vin blanc •
1 bouquet garni (thym, oignons-pays, persil) • 1
piment (facultatif) • 1 citron vert • 1 feuille de bois
d'Inde • 1 feuille de laurier • 1 gousse d'ail • 1 pincée de piment de cayenne • hachis de persil

Couper la langouste vivante en tronçons et faire revenir à l'huile d'olive. Lorsque les morceaux sont colorés, ajouter l'oignon, le bouquet garni, le piment (facultatif), le laurier, le bois d'Inde, le concentré de tomates (en ayant soin de le délayer avec le jus qu'aura rendu la langouste). Saler, poivrer et mouil-

ler avec un verre de vin blanc. Laisser mijoter une quinzaine de minutes et ajouter l'intérieur de la tête avec un jus de citron vert. Au dernier moment, rectifier l'assaisonnement avec une pincée de piment de Cayenne et une gousse d'ail écrasée.
Parsemer de persil haché, servir chaud avec un riz créole.

FRICASSÉE D'ÉCREVISSES OU LES Z'HABITANTS « VAVA »

Parmi les écrevisses (ou « cribiches » en créole), les connaisseurs distinguent les « longs bras », les « queues rouges », les « boucs » mais les « Z'habitants » ou « ouassous » en Guadeloupe sont les plus appréciés car ils peuvent atteindre la taille d'une petite langouste.

Recette de Madame Sylvanielo, « Vava » à Grand-Rivière (Martinique).

Préparation : 35 minutes   Cuisson : 25 minutes
Marinade ou assaisonnement : 30 minutes

Pour 4 personnes :
12 Z'habitants de bonne taille • 5 gousses d'ail • 10 citrons verts (pour la macération vous pouvez utiliser des limes) • 4 feuilles de bois d'Inde • sel • poivre • 3 tomates • 3 cuillerées à soupe de concentré de tomates • 20 g de beurre • 2 cuillerées à soupe d'huile d'olive • 1 oignon-France • 1 piment • 1 gros bouquet garni (6 oignons-pays, 3 branches de thym, 3 branches de persil) • 1 grand verre de vin blanc sec

Brosser délicatement les Z'habitants, sous l'eau, les faire macérer 30 minutes avec le jus de 8 citrons verts, 2 gousses d'ail écrasées, les feuilles de bois d'Inde, du sel, du poivre.
Faire revenir dans une sauteuse, avec l'huile et le beurre, 2 gousses d'ail pilées, les tomates et le concentré, puis verser les écrevisses avec leur jus d'assaisonnement. Retirer les feuilles de bois d'Inde et ajouter un oignon-France émincé, un très gros bouquet garni, un piment entier (en prenant soin de ne pas le faire éclater), un grand verre de vin blanc. Laisser mijoter une vingtaine de minutes. Rectifier l'assaisonnement, selon votre goût, en ajoutant un jus de citron vert, du sel, du poivre et le reste de l'ail pilé.
Servir bien chaud, accompagné d'un « riz créole » (dont les grains se détachent).

N.B. — *Avant de servir, retirer le piment et le présenter sur une assiette. Les amateurs pourront en extraire le jus et en mélanger quelques gouttes à la sauce des Z'habitants.*

BLAFF D'ÉCREVISSES OU « ÉCREVISSES À LA FLOTTE »

Préparation : 25 minutes   Cuisson : 20 minutes

Pour 4 personnes :
12 écrevisses • 4 citrons verts • sel • poivre • 2 gousses d'ail • 3 feuilles de bois d'Inde • 1 gros bouquet garni (thym, oignons-pays, persil) • 1 oignon-France • 1 piment entier
Sauce piquante : 1 oignon-France • 2 oignons-pays • persil • 1 gousse d'ail • 1 morceau de piment • 2 citrons verts • 1 filet d'huile et de vinaigre • sel • poivre • 1 bol d'eau de cuisson

Brosser et laver les écrevisses, les citronner avec la peau des 4 citrons verts. Préparer l'eau du « blaff », avec le bouquet garni, les feuilles de bois d'Inde, l'ail, l'oignon-France, un piment entier, le sel et le poivre. Laisser bouillir 5 minutes et plonger les écrevisses. Les faire cuire 20 minutes. Les servir dans leur eau de cuisson, avec une sauce piquante présentée à part.

Pour la sauce piquante : hacher très finement l'oignon-France, les oignons-pays, l'ail, le petit morceau de piment, le persil et verser sur le tout le jus de 2 citrons verts, un filet d'huile et de vinaigre et un bol d'eau de cuisson des écrevisses. Saler et poivrer.

MATOUTOU OU MATÉTÉ DE CRABES

Aux Antilles, on utilise généralement le crabe de terre pour cette recette. Le crabe que l'on enferme habituellement dans une cage grillagée appelée « caloche », doit être nourri, avant d'être préparé, pendant une dizaine de jours, de maïs, de feuilles d'arbre à pain séchées et de piment. On renouvellera chaque jour une grande bassine d'eau car le crabe se baigne et boit. Le crabe se consomme surtout au moment de Pâques et de la Pentecôte. C'est à cette époque de l'année que sa carapace est la plus dure (il en change chaque année, car il mue).

POISSON GRILLÉ BARBECUE

accompagné d'une sauce chien et de légumes-pays (igname, fruit à pain...).

Traditionnellement, le samedi de Pâques dit « Samedi Gloria », on le mange en « sauce de crabes », le dimanche ou le lundi en « matoutou ou matété ». Le plus souvent, la préparation se fait en famille, à la plage, sous les cocotiers !

Recette de Juliette à Grand-Anse (Martinique).

Préparation : 40 minutes   Cuisson : 45 minutes

Pour 4 personnes :
8 crabes • 6 cuillerées à soupe d'huile • 10 oignons-pays • 2 oignons-France • 5 gousses d'ail • 2 ou 3 tomates • 5 brins de persil • 1 cuillerée à soupe de sel • poivre • 4 citrons verts pour la préparation • le jus de 2 citrons verts • graines de bois d'Inde + 1 feuille • 5 clous de girofle • 2 feuilles de laurier • 800 g de riz • 1 litre et demi d'eau ou plus

« Saigner » les crabes vivants en enfonçant la pointe d'un couteau entre les deux yeux. Les brosser énergiquement sous l'eau courante en insistant aux attaches des pattes. Enlever la queue repliée sous le ventre.
Mettre les crabes dans un récipient contenant de l'eau et 3 citrons coupés en 2 et pressés. Retirer en la cassant l'extrémité des pattes et concasser légèrement les pinces pour que la sauce y pénètre ; ôter la carapace, la jeter mais conserver la graisse (partie marron ou jaune qui reste à l'intérieur). Enlever les branchies, les yeux, les mandibules. Casser les corps des crabes en deux en y laissant les pattes attachées.
Mettre dans le récipient de cuisson, les demi-crabes un peu écrasés, la graisse des crabes, les oignons émincés, les oignons-pays, le persil, le sel, le poivre, l'ail, les tomates en quartier, le jus des 2 citrons, l'huile, le bois d'Inde en graines et en feuilles, les clous de girofle, le laurier. Faire cuire à feu vif pour colorer puis laisser mijoter 15 minutes. Verser le riz et l'eau sur les crabes. Laisser cuire 30 minutes environ en ajoutant un peu d'eau s'il le faut.

SAUCE DE CRABES OU DE CIRIQUES

Recette de « Natha ».

Préparation : 30 minutes   Cuisson : 20 minutes

Pour 4 personnes :
8 crabes ou ciriques (étrilles) • 2 bouquets garnis (thym, persil, oignons-pays) • 1 piment • 3 feuilles et 3 graines de bois d'Inde • 2 gousses d'ail • 1 oignon-France • sel • poivre • 3 citrons verts

Cuisson des crabes : Brosser les crabes (méfiez-vous de leurs « mordants » ou pinces), les plonger dans un fait-tout d'eau bouillante contenant un piment, un bouquet garni, du bois d'Inde en feuilles et en graines écrasées, de l'ail pilé, du sel, du poivre. Laisser cuire 15 minutes. Puis, lorsque les crabes sont refroidis, enlever leur carapace et garder leur « graisse ».

Sauce des crabes : Préparer la sauce avec l'oignon-France, les oignons-pays, l'ail et le persil hachés, le piment (si vous le désirez), le jus de 3 citrons verts, le sel, la « graisse » des carapaces, la « graisse » prélevée sur le dessus de l'eau de cuisson des crabes.
Disposer les crabes sur cette préparation et mouiller abondamment le tout avec le jus de cuisson des crabes.
Si vous voulez, vous pouvez servir avec un riz « debout » (dont les grains se détachent).

RAGOÛT DE MOLOCOYE

On distingue deux sortes de tortues : la tortue de mer (caret ou caouane) et la tortue de terre (molocoye), que l'on nourrit de pain ou de fruit et dont la chair est très appréciée.

Préparation : 15 minutes   Cuisson : 1 heure
Marinade ou assaisonnement : 24 heures

Pour 4 personnes :
4 filets de tortue • 3 citrons verts • 1/2 verre de rhum vieux • 3 cuillerées d'huile • 2 clous de girofle • sel poivre • 3 graines de bois d'Inde • 1 piment • 30 g de beurre • 1 verre à liqueur de madère

Acheter les filets de tortue parés. Les faire mariner 24 heures dans le rhum, le jus des 3 citrons verts, l'huile et ajouter 2 clous de girofle, les graines de bois d'Inde écrasées, du sel et du poivre.
Le lendemain, faire cuire pendant une heure, le tout sur feu doux en couvrant, avec 30 g de beurre et du piment haché finement. Quelques minutes avant de servir, arroser d'un verre à liqueur de madère.

BIFTECK DE TORTUE

On utilise les viandes les plus rouges de la caret ou de la tortue verte. La viande de tortue étant un peu ferme, il est conseillé de la battre fortement ou de la congeler une semaine avant de l'utiliser.

Préparation : 15 minutes   Cuisson : 10 minutes
Marinade ou assaisonnement : 1 heure

Pour 4 personnes :
4 filets de tortue • 3 cuillerées à soupe d'huile • 2
citrons verts • 2 gousses d'ail • sel • poivre • 2 branches de thym • 1 verre de vin rouge • 20 g de beurre

Faire mariner les filets (décongelés) dans la préparation suivante : huile, jus de citrons, ail écrasé, sel, poivre, thym, pendant une heure. Saisir les filets à la poêle dans un peu de beurre ; saler, poivrer abondamment. Ajouter une pointe d'ail si vous le désirez. Déglacer la sauce avec un verre de vin rouge. Laisser mijoter 2 à 3 minutes et servir bien chaud avec des frites de fruit à pain ou de pommes de terre.

POISSONS

Les Antilles, c'est avant tout la mer : tropicale, chaude et peuplée d'une multitude de poissons. On y différencie :

— d'une part les *poissons blancs* comme le mulet, la bonite, le thon, le thazard, le barracuda, le balarou, le coulirou, le gros maquereau ou le petit macrio, la carangue, avec ses trois variétés toutes appréciées, et encore bien d'autres, comme le grand écaille (on peut utiliser ses écailles dans l'artisanat), la daurade (bien différente de celle des mers d'Europe, puisqu'elle peut atteindre 2,50 m !) ;

— d'autre part, les *poissons rouges,* généralement plus chers et plus nobles, de meilleure conservation et qui ont une saveur plus recherchée. Ce sont :

• la souris et le barbarin, proches du rouget, que l'on évitera de cuire avec d'autres poissons, car ils ont un goût très prononcé ;

• le marignan, les patates, le couronné, le roiliroi, le roitalibi, que l'on utilise pour la soupe ou en friture quand ils sont de petites tailles ;

• le vivaneau, la vierge, la pague, la sorbe, la sarde, la vermeil, le « grand Z'yeux », sont les plus nobles ; enfin le juif, l'un des plus fins et surtout le capitaine, le meilleur de tous !

On aura soin de se renseigner auprès des pêcheurs car les mêmes poissons, comestibles dans certaines îles, ne le sont pas dans d'autres. En effet, la nourriture, les algues ou plancton qu'ils absorbent, n'est pas toujours la même et peut les rendre toxiques. C'est ainsi, par exemple, que le capitaine, la sarde et la carangue se dégusteront à la Martinique et non en Guadeloupe.

On trouve, enfin : le requin, particulièrement abondant en Guyane, le poisson coffre dont on prélève les filets pour les faire en « touffée », les titiris, spécialement destinés aux « marinades » ou « acras », et le poisson armé, connu sous le nom de poisson lune, qui gonfle ses épines à l'approche du danger et que l'on peut consommer, à condition de prendre la précaution de retirer ses piquants avec patience !

Comment choisir le poisson ?

L'œil doit être brillant, les ouïes rouges, fermes au toucher, les écailles bien attachées et l'odeur agréable.

Quelle que soit la recette choisie pour votre poisson, il doit être *obligatoirement « assaisonné »*.

Comment assaisonner le poisson ?

Le poisson doit être écaillé, vidé, lavé dans une eau savonneuse (si vous osez le faire selon la pratique antillaise) ; vous le rincerez alors abondamment.

Frotter l'intérieur du poisson avec un demi citron vert ; puis le faire mariner avec l'assaisonnement suivant : ail écrasé, sel, poivre, bois d'Inde en feuilles et en graines moulues, piment haché, jus de citrons verts en abondance, et un peu d'eau si le poisson est épais et qu'il n'est pas entièrement recouvert par l'assaisonnement. Le poisson doit macérer une bonne heure et être retourné de temps à autre. Si le poisson est gros, l'inciser pour que l'assaisonnement pénètre bien la chair.

N.B. — Ne pas abuser du piment dans la préparation, il est préférable d'en servir sur une assiette à part avec quelques citrons verts pour que chaque convive rectifie l'assaisonnement à son goût.

— Si vous trouvez que le plat est trop pimenté, vous atténuerez la brûlure avec de la banane, de l'avocat coupé en tranches — ou encore de la mie de pain.

Les ménagères métropolitaines pourront utiliser certains poissons courants comme la daurade, le cabillaud, le lieu noir, le mulet, le thon, le chinchard (qui est le coulirou), le maquereau (proche du balarou) et les cuisiner à l'antillaise.

On préparera de préférence en « blaff » les poissons blancs comme les maquereaux, le lieu noir, le cabillaud, le mulet, le chinchard, la daurade à peau grise. Et en court-bouillon, les poissons rouges comme la rascasse, les rougets (métropolitains), la daurade à peau rose, le mérou.

Et, bien sûr, vous pourrez laisser libre cours à votre imagination...

Quelles sont les différentes façons de cuire ces poissons ?

LE BLAFF

Le poisson qui tombe dans l'eau bouillante fait « blaff » ! C'est la préparation la plus simple et la plus naturelle pour le poisson ; elle se rapproche d'un « court-bouillon-France » ou d'un poisson « au bleu ».

Préparation : 15 mn   Cuisson : 5 à 10 mn maximum
Marinade ou assaisonnement : 1 heure

Pour 4 personnes :
Marinade : **sel • poivre • 2 feuilles et 3 graines de bois d'Inde • 1 gousse d'ail • 1 piment • 3 citrons verts**
600 g de poissons environ • 1 oignon-France • 1 bouquet garni (thym, oignons-pays, persil) • 2 gousses d'ail • bois d'Inde en feuilles et en graines • 1 litre et demi d'eau • 3 citrons verts

On utilise pour le blaff des poissons de petites tailles (balarou, macrio, etc., en Métropole harengs frais, maquereau) ou un poisson plus important coupé en morceaux (thon, thasard, ou encore en Métropole, mulet, cabillaud, chinchard, daurade à peau grise). Les faire mariner pendant une heure dans l'assaisonnement traditionnel (sel, poivre, ail écrasé, feuilles et graines moulues de bois d'Inde, piment et jus de citrons verts) et préparer l'eau du blaff avec un litre et demi d'eau, un oignon coupé en lamelles, de l'ail pilé, un bouquet garni, quelques graines écrasées et quelques feuilles de bois d'Inde, du sel, du poivre.
Plonger les poissons égouttés dans l'eau frémissante du blaff ; dès que l'eau bout, les petits poissons sont cuits ; les morceaux de gros poissons seront laissés 5 à 10 minutes à feu doux après ébullition. Vérifier la cuisson à l'aide d'une pointe de couteau. Servir les poissons baignés de leur eau de cuisson et verser le jus de 3 citrons verts. Vous pouvez les accompagner de deux bananes mûres ou de tranches d'avocats. Chaque convive ajoutera selon son goût citron et piment.

COURT-BOUILLON CRÉOLE

Le court-bouillon de France ressemble au blaff. Ce que l'on appelle « court-bouillon » aux Antilles est une recette bien particulière qui se fait généralement avec les poissons « rouges ».
La tête et la queue un peu gélatineuses de certains poissons sont des morceaux de choix pour les connaisseurs. Manger une tête de capitaine en « court-bouillon » en ne laissant que les « os » (arêtes) est tout un art !

Préparation : 15 minutes   Cuisson : 25 minutes
Marinade ou assaisonnement : 1 heure

Pour 4 personnes :
Marinade : **sel • poivre • 1 gousse d'ail • bois d'Inde (feuilles ou graines) • 2 citrons verts • 1 piment**

600 à 800 g de poissons • 1 oignon-France • 2 tomates
• 3 cuillerées à soupe d'huile • 1 bouquet garni (thym,
oignons-pays, persil) • 1 gousse d'ail • 1 citron vert •
1/4 de litre d'eau

*Mettre les poissons à l'assaisonnement (sel, poivre, ail écrasé, piment, feuilles
ou graines de bois d'Inde moulues, jus de citrons verts, un peu d'eau), une
heure à l'avance. Faire revenir dans de l'huile, l'oignon émincé, les tomates
pelées et épépinées, le bouquet garni. Quand le tout est bien coloré, mouiller
avec un bol d'eau et ajouter une gousse d'ail ; porter à ébullition et plonger
le poisson égoutté. Laisser mijoter 10 à 20 minutes suivant l'épaisseur du poisson.*
*Servir chaud avec le jus de cuisson agrémenté du jus de citron vert et de
piment si vous le souhaitez.*
*Si la préparation vous semble fade, vous pouvez lui incorporer un « cera » en
mélangeant ail, sel, poivre, citron vert et huile.*
*Si vous désirez un court-bouillon plus épais, vous utiliserez de la tomate fraî-
che et du concentré.*
*Le court-bouillon s'accompagne généralement de légumes du pays nature
comme : bananes jaunes, ignames, chou Dachine. Sans oublier un avocat
coupé en tranches pour adoucir un peu.*

*Aux Antilles vous utiliserez : la sarde, la sorbe, le juif, le capitaine, la ver-
meil, etc., en France, la daurade à peau rose, la rascasse, le mérou, les rougets, etc.*

LA DAUBE DE POISSONS

On appelle « daube de poissons », un poisson assaisonné, frit à l'huile, que l'on prépare ensuite à la
façon d'un court-bouillon créole.

Préparation : 20 minutes   Cuisson : 35 minutes
Marinade ou assaisonnement : 1 heure

Pour 4 personnes :
Marinade : **ail • piment • bois d'Inde (feuilles ou graines) • sel • poivre • 2 citrons verts**
**4 belles tranches de poisson • 3 cuillerées d'huile •
3 tomates • 2 oignons-France • 1 bouquet garni (thym,
oignons-pays, persil) • 1 gousse d'ail • 1 bol d'eau •
100 g de farine • quelques pincées de farine de manioc
(facultatif)**

*Assaisonner le poisson une heure à l'avance et le laisser mariner. L'égoutter,
le sécher, le fariner et le frire à l'huile bien chaude, une quinzaine de minu-*

72

tes. Préparer un « fond » de court-bouillon avec les tomates pelées et épépinées, les oignons émincés, le bouquet garni, la gousse d'ail, le tout bien
revenu dans l'huile ; ajouter un bol d'eau et laisser mijoter 10 minutes avec le
poisson. Saler, poivrer. Une cuillerée de farine pourra lier la sauce si elle est
trop liquide, et un morceau de piment la relèvera si on le désire.
Quelques pincées de farine de manioc donneront la touche finale à la daube
antillaise.
On accompagnera la daube de haricots rouges, de riz « debout » (pas trop
cuit) ou de légumes locaux (ignames, fruit à pain...).

On emploiera surtout le thon pour ce plat, mais les autres poissons ne sont
pas à négliger.

« TOUFFÉE » DE TITIRIS
OU DE PISQUETTES

On utilise le mot de « touffée » pour le poisson cuit
à l'étouffée qui mijote à feu doux dans une marmite couverte.

Préparation : 20 minutes   Cuisson : 15 minutes
          Marinade ou assaisonnement : 1 heure

Pour 4 personnes :
Marinade : ail • piment • bois d'Inde (feuilles ou grai-
          nes) • sel • poivre • 2 citrons verts • eau
800 g de titiris ou de pisquettes • 1 oignon-France •
1 gousse d'ail • 1 bouquet garni (thym, oignons-pays,
persil) • 1 piment • 2 échalotes • 1 citron vert • 3
tomates • persil • sel • poivre • 3 cuillerées d'huile

Faire mariner les titiris bien lavés avec l'ail, le piment, le bois d'Inde, le sel,
le poivre, le jus des deux citrons verts et un peu d'eau, pendant une heure.
Faire roussir, au fond d'une marmite, avec de l'huile, l'oignon émincé, les
échalotes hachées, les tomates pelées et épépinées, le bouquet garni ; saler,
poivrer, ajouter une pointe de piment, l'ail ainsi que les titiris ou les pisquettes égouttés. Couvrir, laisser cuire 10 minutes à la vapeur, en secouant de
temps en temps pour que la « touffée » n'attache pas.
Servir chaud, avec le jus d'un citron vert et un hachis de persil.

TOUFFÉE DE REQUIN
OU REQUIN À L'ÉTOUFFÉE

Préparation : 20 minutes   Cuisson : 25 minutes
Marinade ou assaisonnement : 1 heure

Pour 4 personnes :
Marinade : ail • sel • poivre • piment • bois d'Inde
(feuilles ou graines) • 2 citrons verts • eau
600 g de requin • 1 oignon-France • 1 gousse d'ail •
2 échalotes • 1 bouquet garni (thym, oignons-pays, persil) • 3 tomates • piment • sel • poivre • 1 citron vert
• 3 cuillerées à soupe d'huile • persil

*Faire mariner les morceaux de requin avec l'assaisonnement habituel pendant
une heure. Au fond du plat de cuisson, faire revenir à l'huile l'oignon et les
échalotes émincés, le bouquet garni, les tomates pelées et épépinées ; saler,
poivrer, pimenter. Ajouter une gousse d'ail.*
*Sortir les morceaux de requin de la marinade et les mettre à « suer » pour
leur faire rendre l'eau. Les laisser cuire une vingtaine de minutes tout doucement à la vapeur, et servir chaud avec le jus d'un citron vert et le persil
haché.*

POISSONS GRILLÉS BARBECUE

Généralement, on met à griller au barbecue, soit un gros poisson comme le
vivaneau, le grand Z'yeux, la vermeil, la carangue... soit des poissons plus
petits comme les sardes, les balarous (il en faut environ 2 à 3 par personne),
les gorettes, etc. Comme à l'accoutumée, le poisson doit tremper dans un
assaisonnement composé d'ail, de piment, de sel, de poivre, de bois d'Inde,
d'un peu d'eau et d'une bonne quantité de jus de citrons verts, pendant une
heure.
Allumer le barbecue et lorsque les braises sont prêtes, mettre le poisson à
cuire entre deux grilles, quelques minutes avant de passer à table car il ne
doit pas attendre. Le poisson barbecue sera ainsi très moelleux. Le temps de
cuisson dépendra bien entendu de l'épaisseur des poissons.
On gardera l'eau d'assaisonnement du poisson additionnée de deux cuillerées
d'huile pour arroser en cours de cuisson. On retournera le poisson à mi-
cuisson. Lorsqu'il sera cuit à point, on frottera les grilles à l'aide d'un citron
vert pour décoller la peau du poisson et ne pas l'abîmer.
On peut également ne pas assaisonner le poisson pour le faire griller au barbecue.
On ne l'écaille pas, on le vide (si le poisson est gros), on le citronne à l'intérieur et on le badigeonne d'huile. On aura soin de le faire cuire à feu doux
sur la braise environ à 10 cm au-dessus du foyer. On le retourne à mi-

cuisson. En n'écaillant pas le poisson, celui-ci se retirera plus facilement de la grille une fois cuit, il n'attachera pas.

On sert toujours, aux Antilles, le poisson barbecue avec une *« sauce chien »* composée de : 2 échalotes, 5 oignons-pays hachés, persil, piment (que l'on retire avant de servir), jus de 2 citrons verts, une cuillerée à soupe d'huile, sel, poivre et un verre d'eau bouillante.

Si on désire une sauce chien plus élaborée, on lui incorpore un œuf dur écrasé, un hachis de persil et quelques câpres.

Vous servirez, si vous préférez, le « poisson grillé barbecue » avec un « beurre-citron » bien chaud (125 g de beurre fondu, un hachis de persil, le jus de 2 citrons verts, sel, poivre).

POISSONS FRITS

On peut faire frire de petits poissons comme le balarou, le barbarin (rouget), le maquereau, le macrio, etc. ou un gros poisson coupé en tranches ou en cubes comme la vermeil, la bonite, le thon, le thazard...

On assaisonnera, bien entendu, les poissons avec l'ail, le sel, le poivre, le bois d'Inde, le piment, les citrons verts et l'eau. Puis on les essuiera, on les farinera et on les fera cuire dans un bain d'huile bien chaude.

Un poisson bien assaisonné, qui a mariné 1 heure avec suffisamment de sel et de citron peut être servi tout chaud tel quel.

POISSONS MARINÉS

Sur les poissons frits, tout chauds de préférence, verser une vinaigrette relevée d'ail écrasé, d'oignons-pays et d'échalotes hachés finement.

Servir tiède ou froid pour le dîner avec de l'avocat en tranches ou une salade verte, ou même, à l'antillaise, au petit déjeuner !...

COURT-BOUILLON DE MORUE

Aux Antilles, on utilise la morue salée et séchée maison, mais on peut aussi avoir recours aux filets.

Préparation : 25 minutes   Cuisson : 30 minutes

Pour 4 personnes :
400 g de morue • 1 oignon-France • 2 tomates • 1 bouquet garni (thym, oignons-pays, persil) • 1 gousse d'ail • 1 piment • sel • poivre • bois d'Inde

Faire dessaler la morue à l'eau froide, quelques heures à l'avance. Si vous êtes prise de court, la blanchir en changeant l'eau 2 à 3 fois.
Faire pocher la morue une vingtaine de minutes, retirer soigneusement la peau et les arêtes.
Faire revenir un fond de court-bouillon avec l'oignon, le bouquet garni, le bois d'Inde (en feuilles ou en graines), le piment, les tomates pelées et épépinées et ajouter un bol d'eau, une gousse d'ail, du sel (modérément), du poivre, puis la morue lorsque le tout est bien revenu. Laisser cuire une dizaine de minutes.
Servir avec tout le jus de cuisson en ayant retiré le bouquet garni et les feuilles de bois d'Inde.
Accompagner de riz ou de « légumes-pays » (chou Dachine, igname, une tranche d'avocat ou une banane). Chaque convive pimentera à volonté.

CRASÉ MORUE

C'est la déformation, en créole, de la morue écrasée avec d'autres ingrédients.

Préparation : 30 minutes   Cuisson : 30 minutes

Pour 4 personnes :
400 g de morue séchée, salée • 3 cuillerées d'huile • 2 oignons-France • 1 cuillerée à soupe de vinaigre • 4 œufs • 4 belles tranches d'avocats • piment • 8 ti-nain (petites bananes vertes à cuire) • 1 citron vert ou 4 beaux carrés de fruit à pain ou tout autre légume-pays (chou Dachine...) • 1 avocat en tranches ou 2 bananes jaunes cuites

Faire dessaler la morue, coupée en carrés à l'avance, et la cuire 20 minutes dans une bonne quantité d'eau. Retirer la peau et les arêtes. Faire durcir les œufs, les écaler et les couper en deux.
Verser sur les œufs et la morue, les oignons coupés en fines rondelles, crus ou fondus à la poêle dans un peu d'huile ; ajouter un filet de vinaigre.
Faire cuire les légumes :
— pour les bananes « ti-nain »
Ce sont des bananes très vertes et fermes. Pour les éplucher, vous enduire les mains d'huile afin que la gomme des bananes ne se colle pas aux mains. Les faire cuire à l'eau salée avec un jus de citron vert, 10 minutes, et les servir avec leur eau de cuisson. Les jeunes « ti-nain » préparées ainsi gardent une chair blanche.

— pour le fruit à pain :
Choisir un petit fruit à pain ; enlever une peau épaisse qui servira à couvrir

le légume au cours de sa cuisson. Enlever le cœur et couper le fruit à pain en carrés. Le cuire à l'eau salée (15 minutes).

Servir séparément, la morue et les œufs dans leur sauce, le plat de légumes, quelques tranches d'avocat ou de bananes jaunes (c'est une variété particulière qui ne se consomme que cuite).

Chaque convive fera lui-même son « crasé-morue » en écrasant tous les ingrédients dans son assiette et rectifiera l'assaisonnement à son goût avec de l'huile, du vinaigre, et du piment que l'on servira à table.

MACADAM DE MORUE

Préparation : 20 minutes   Cuisson : 30 minutes

Pour 4 personnes :
400 g de morue séchée et salée • 1 oignon-France • 3 tomates • 1 bouquet garni (thym, oignons-pays, persil) • 2 gousses d'ail • bois d'Inde (feuilles ou graines) • sel • poivre • 1 piment • 4 cuillerées d'huile • 1 cuillerée à dessert de farine • 1 citron vert
Riz en pâte : 4 cuillerées à soupe de riz non traité • 3 cives ou oignons-pays • 1 pointe de curry (facultatif) • 1 branche de thym • 4 bananes dessert

Bien dessaler la morue plusieurs heures à l'avance, la faire pocher quinze minutes. Retirer la peau et les arêtes.

Faire revenir, dans de l'huile, l'oignon, les tomates pelées et épépinées, le bouquet garni, le bois d'Inde, saler, poivrer, pimenter et ajouter un bol d'eau chaude et une gousse d'ail. Incorporer la morue et laisser cuire doucement 15 minutes, en liant la sauce avec une cuillerée à dessert de farine. Au moment de servir, agrémenter du jus d'un citron vert mélangé à une cuillerée d'huile et à une gousse d'ail râpée. Le macadam se sert avec un « riz en pâte » et des tranches de « bananes-dessert ».

Pour le riz en pâte, bien laver le riz ; le mettre à cuire à l'eau froide dans 3/4 de litre d'eau salée avec les oignons-pays, une pointe de curry et une branche de thym. Laisser cuire jusqu'à évaporation complète de l'eau. On obtient, de cette façon, le « riz en pâte » que l'on dégustera en le coupant à la fourchette et au couteau. On mélangera le macadam de morue au « riz en pâte » dans l'assiette et on disposera les bananes coupées en rondelles sur le dessus.

BÉCHAMEL MORUE

Préparation : 30 minutes   Cuisson : 20 minutes
1 heure 30 pour les lentilles

Pour 4 personnes :
400 g de morue séchée et salée, ou en filets • 30 g de beurre • 1/4 de litre de lait • 2 cuillerées à soupe de farine • 2 oignons-France • 1 gousse d'ail • 2 bouquets garnis (thym, oignons-pays, persil) • sel • poivre • 4 pommes de terre • 250 g de lentilles • graines de chou dur coupées en dés • piment • huile • vinaigre

Dessaler la morue coupée en carrés et la faire pocher 20 minutes. Retirer la peau et les arêtes.

Faire fondre l'oignon coupé finement dans le beurre destiné à la béchamel, remuer à la cuillère de bois, saupoudrer de farine et mouiller avec le lait, jeter un bouquet garni, saler, poivrer. Laisser cuire 3 à 4 minutes. La béchamel doit être épaisse. Faire cuire les pommes de terre avec la peau. Les éplucher, les couper en rondelles, les incorporer à la béchamel ainsi que la morue effeuillée en petits morceaux et une gousse d'ail écrasée.

Faire cuire les lentilles bien nettoyées, pendant une heure et demi, avec un bouquet garni et quelques morceaux de graines de chou dur (facultatif). Les lentilles doivent « crever ». (Aux Antilles, on les mange très cuites, la peau éclatée.)

Servir à part, les lentilles, la béchamel de morue et présenter avec du piment. (Chaque personne en mettra à son gré.) Arroser le tout d'huile et de vinaigre.

GRATIN DE MORUE

Préparation : 25 minutes   Cuisson : 45 minutes

Pour 4 personnes :
400 g de morue séchée ou en filets • 2 cuillerées d'huile • 1 oignon-France • 1 bouquet garni (thym, oignons-pays, persil) • 1 gousse d'ail • 1 cuillerée de farine • 1 verre de lait • sel • poivre • 100 g de gruyère râpé • 30 g de chapelure • 20 g de beurre

Dessaler la morue, la pocher 20 minutes, l'éplucher en enlevant la peau et les arêtes.

Faire une béchamel très légère avec l'oignon haché revenu dans l'huile, mouil-

ler avec le lait, ajouter un bouquet garni, du sel, du poivre, une gousse d'ail écrasée et la morue effeuillée.

Mettre, dans un plat à gratin, la préparation mélangée au gruyère râpé ; saupoudrer de chapelure et faire dorer au four avec quelques noisettes de beurre, une dizaine de minutes.

TREMPAGES

Le trempage peut se servir sur une feuille de bananier. Il se fait généralement avec de jeunes requins, de la morue, de la raie ou même de la langouste. Cette préparation, à base de pain rassis trempé, se mange avec les doigts (de façon très décontractée !...) accompagnée de nombreux punchs et de « milans » (ragots créoles !).

Préparation : 25 minutes   Cuisson : 30 minutes

Pour 4 à 6 personnes :
400 g de morue séchée (ou en filets) • 2 cuillerées à soupe d'huile • 3 tomates • 1 bouquet garni (thym, oignons-pays, persil) • 1 gousse d'ail • 1 clou de girofle • bois d'Inde (feuilles ou graines) • 1 piment • 1 verre de vin blanc • 200 g de pain trempé dans l'eau • sel • poivre • 4 bananes (dessert)

Faire dessaler la morue et la pocher à l'eau 20 minutes ; l'éplucher, enlever la peau et les « os » et l'incorporer aux tomates revenues dans l'huile avec le bouquet garni, l'oignon, le clou de girofle, le bois d'Inde. Mouiller avec le vin blanc et un verre d'eau ; ajouter l'ail, le piment coupé menu, saler, poivrer.

Disposer au fond du plat, en fines couches successives, le pain trempé et bien pressé, la morue arrosée de son jus et terminer par les bananes-dessert coupées en rondelles.

THAZARD AU LAIT DE COCO
OU POISSON CRU DES ÎLES

Préparation : 45 minutes
                    Marinade ou assaisonnement : 3 heures
Pour 4 personnes :
800 g de thazard ou poisson à chair blanche et ferme • 4 citrons verts • 1 oignon-France • 2 œufs durs • sel • poivre • 2 tomates • noix de muscade râpée • 1 noix de coco sec • 1 hachis de persil

Prélever les filets du poisson et les couper en carrés de 2 cm, les laisser macérer 2 heures au moins dans le jus des citrons verts, avec l'oignon coupé en rondelles et du sel.

Pendant ce temps, préparer le lait de coco en râpant la pulpe d'un coco sec avec une « grage » (râpe) puis la presser fortement dans un linge pour en extraire le lait. On peut aussi utiliser la centrifugeuse, ou un lait de coco tout préparé.

Disposer les morceaux de poisson avec un jus de la marinade, verser le lait de coco et décorer de tomates et d'œufs durs en rondelles. Parsemer d'un hachis de persil et de noix de muscade râpée en petite quantité.

RAGOÛT DE COCHON AUX POIS ROUGES

VIANDES

BIFTECK À LA CASSEROLE

Préparation : 5 minutes   Cuisson : 10 minutes
Marinade ou assaisonnement : 30 minutes

Pour 4 personnes :
**600 g de bavette • 1 oignon-France • persil • 1 cuille-
rée à soupe d'huile • sel • poivre • 2 gousses d'ail •
2 citrons verts • 30 g de beurre**

*Faire mariner la viande avec l'ail écrasé, l'oignon émincé, un jus de citron
vert et un peu d'huile.*
*Faire revenir l'oignon de la marinade dans le beurre, lorsqu'il est coloré, sai-
sir les biftecks quelques secondes et les cuire à feu doux. Saler, poivrer.*
*Dans le plat de service, écraser une gousse d'ail et presser un citron vert. Dis-
poser les biftecks dessus avec le jus de cuisson déglacé et servir avec un hachis
de persil.*
*On peut accompagner de frites de fruit à pain, ou d'une purée d'ignames
blanches et d'avocats en tranches.*
Aux Antilles, on mange le bifteck à la casserole, bien cuit et non saignant.

BIFTECK VINAIGRETTE

Préparation : 5 minutes   Cuisson : 5 minutes

Pour 4 personnes :
**600 g de bavette • 4 cuillerées à soupe d'huile • 1
cuillerée à soupe de vinaigre de vin • 1 gousse d'ail •
1 échalote • sel • poivre**

Saisir les biftecks à la poêle, dans une cuillerée d'huile, et les cuire à votre goût. Les accompagner de la vinaigrette suivante : ail et échalote écrasés, huile, vinaigre, sel, poivre.

Le bifteck en vinaigrette se sert avec des légumes-pays cuits nature (ignames, chou Dachine, couscouche...) que l'on écrase à la fourchette dans l'assiette et que l'on arrose de vinaigrette.

FOIE SAUTÉ

Préparation : 10 minutes   Cuisson : 10 minutes
Marinade ou assaisonnement : 30 minutes

Pour 4 personnes :
400 g de foie de bœuf en un seul morceau, de veau ou de porc • 2 gousses d'ail • thym • 3 cuillerées d'huile • sel • poivre • 1 oignon-France • 1 cuillerée de farine • 1/2 verre de vin rouge • 1 piment • persil

Découper le foie en cubes de 3 centimètres d'épaisseur environ, en ayant soin de le dénerver. Le faire mariner 30 minutes avec du poivre (surtout pas de sel), de l'ail, du thym et de l'huile. Couvrir et retourner les morceaux de temps en temps pour que le foie soit bien imprégné de la marinade.

Faire revenir à la poêle, l'oignon en lamelles avec de l'huile, verser les morceaux de foie avec leur marinade ; remuer à la cuillère de bois, saupoudrer de farine et mouiller avec le vin rouge. Saler, poivrer et au dernier moment écraser une gousse d'ail ; ne pas laisser cuire trop longtemps, le foie serait dur.

Si vous le désirez, servir avec un piment, une persillade et accompagner d'un riz « debout » (dont les grains se détachent).

TRIPES « RACCOMMODÉES »

C'est la façon créole d'accommoder les tripes.

Préparation : 35 minutes   Cuisson : 1 heure 30

Pour 4 personnes :
1 kg de morceaux divers de tripes (caillette, feuillette, etc.) • 3 citrons verts • 2 cuillerées à soupe d'huile • 4 carottes • 4 pommes de terre • 1 bouquet garni (thym, oignons-pays, persil) • 1 oignon-France • sel • poivre • 2 tomates • 1 piment • 1 verre de vin blanc • 1 gousse d'ail

Bien nettoyer les tripes sous l'eau froide, en grattant au couteau la graisse, et les frotter au citron abondamment. Les couper en morceaux et les faire bouillir à l'eau salée pendant une bonne heure.
Cuire à part les pommes de terre et les carottes.
Préparer la sauce suivante : faire revenir à l'huile l'oignon émincé, les tomates pelées et épépinées avec le bouquet garni, le piment qui ne devra pas éclater ; saler modérément, poivrer et mouiller avec un bol de bouillon ayant servi à cuire les tripes. Incorporer les tripes, les pommes de terre et les carottes coupées en morceaux et laisser mijoter doucement 30 minutes. Quelques minutes avant la fin de la cuisson, ajouter un verre de vin blanc et une gousse d'ail écrasée.
On sert généralement les « tripes raccommodées » avec des ti-nains (jeunes bananes vertes à cuire) présentées dans leur eau de cuisson.
A la façon créole, on écrasera les ti-nains dans la sauce des tripes.

CHELLOU

Le « chellou » est une ancienne recette créole qui utilise les abats du bœuf.

Préparation : 20 minutes   Cuisson : 1 heure 30
Marinade ou assaisonnement : 15 minutes

Pour 4 personnes :
500 g d'abats de bœuf (poumon, foie, rate, cœur) •
1 tasse de vinaigre • 2 cuillerées à soupe d'huile •
2 oignons-France • 2 gousses d'ail • 2 clous de girofle
• 1 gros bouquet garni (oignons-pays, thym, persil) •
sel • poivre • 1 piment • 1 litre et demi d'eau

Nettoyer les abats, les couper en morceaux et les faire tremper dans le vinaigre une quinzaine de minutes.
Faire revenir à l'huile, au fond d'une casserole, l'ail, les oignons émincés, les clous de girofle, le bouquet garni, avec les abats égouttés. Faire roussir le tout et mouiller abondamment avec 1 litre et demi d'eau. Saler, poivrer et ajouter un piment entier. Cuire à feu vif jusqu'à cuisson complète (1 heure, 1 heure 30).
Le chellou se sert avec du riz.

RAGOÛT DE COCHON

Le porc, qu'il soit sur pied ou cuit, est appelé « cochon » aux Antilles.

Le ragoût de cochon, accompagné de pois d'Angole, précédé de pâtés de cochon et boudin créole, constitue le repas traditionnel de Noël.
(Pour la recette des pâtés cochon et du boudin créole, voir la rubrique « Amuse-gueule ».)

Préparation : 20 minutes   Cuisson : 1 heure

Pour 4 personnes :
700 g d'échine de porc en morceaux • 2 cuillerées à soupe d'huile • sel • poivre • 2 feuilles ou 4 graines de bois d'Inde • 2 gousses d'ail • 2 citrons verts • 2 oignons-France • 1 bouquet garni (thym, oignons-pays, persil) • 1 piment • 2 feuilles de laurier

Mettre les morceaux de cochon à revenir dans l'huile. Saupoudrer de poivre, d'ail et de bois d'Inde pilés finement, arroser d'un jus de citron vert. Saler et incorporer les oignons en fines lamelles, les laisser roussir, puis couvrir d'eau et ajouter un bouquet garni, du laurier et un piment. Laisser évaporer l'eau en cuisant à feu doux 45 minutes environ. Quelques minutes avant la fin de la cuisson, incorporer une gousse d'ail écrasée et le jus d'un citron vert.
Le ragoût de cochon s'accompagne de haricots rouges ou blancs (cuits à la créole), d'ignames ou de choux, de pois d'Angole ou de riz.

DAUBE DE PORC AU CURRY

Préparation : 30 minutes   Cuisson : 1 heure 15

Pour 4 personnes :
700 g d'échine de porc coupée en morceaux • 2 cuillerées d'huile • 20 g de beurre • 2 christophines • 2 aubergines • 1 oignon-France • 2 échalotes • 1 gousse d'ail • 1 bouquet garni (thym, oignons-pays, persil) • 1 cuillerée de curry en poudre • 2 tomates • sel • poivre • 1 piment

Faire revenir, dans le beurre et l'huile, le porc coupé en morceaux avec l'oignon et les échalotes. Lorsque la viande est dorée de toutes parts, couvrir avec un peu d'eau, ajouter une gousse d'ail, le bouquet garni, la poudre de curry et laisser mijoter 30 minutes. Saler, poivrer, puis incorporer les christophines et les aubergines épluchées et coupées en dés, les tomates pelées et épépinées et laisser réduire encore une demi-heure à feu doux. La sauce ne doit pas être trop abondante.
On peut servir la daube de porc avec un « riz debout » (dont les grains se détachent).

RÔTI DE PORC CRÉOLE

Aux Antilles, on consomme généralement le cochon local, appelé cochon « planche », parce que de petite taille et étroit.
Une cuisse de cochon « planche » sera appréciée cuite entière avec sa peau.

Préparation : 10 minutes   Cuisson : 1 heure

Pour 4 à 6 personnes :
1 cuisse de cochon « planche » ou 1 kg de rôti de porc • 3 gousses d'ail • sel • poivre • graines de bois d'Inde • 30 g de beurre

Piquer le rôti en plusieurs endroits avec les gousses d'ail écrasées, mélangées aux graines de bois d'Inde moulues, au sel et au poivre. Mettre au four chaud avec un peu de beurre pendant 1 heure.
Servir avec une purée d'ignames blanches ou un gratin de christophines.

RÔTI DE PORC FARCI

Préparation : 25 minutes   Cuisson : 1 heure 30

Pour 4 personnes :
1 rôti de porc d'1 kg environ • 300 g de boudin créole • 3 cuillerées d'huile • 20 g de beurre • 1 verre de vin blanc • 3 gousses d'ail • sel • poivre • 1 verre à liqueur de rhum vieux • 1 oignon-France • thym • bois d'Inde (2 feuilles et 3 graines)

Ouvrir le rôti dans le sens de la longueur et le garnir du boudin sorti de sa peau. Refermer le rôti et le ficeler ou le coudre, si c'est nécessaire, pour que la farce ne sorte pas. Le piquer de gousses d'ail écrasées mélangées au sel, au poivre et aux graines de bois d'Inde moulues.
Faire revenir le rôti à la cocotte avec du beurre, de l'huile et un oignon émincé ; saler, poivrer, ajouter du thym et 2 feuilles de bois d'Inde. Lorsque le rôti est coloré, verser un verre de vin blanc et un petit verre de rhum vieux. Laisser mijoter 1 heure 30.
Servir le rôti coupé en tranches, accompagné de la sauce un peu réduite, et de purées de légumes du pays.

CÔTELETTES DE COCHON GRILLÉES SAUCE CHIEN

Préparation : 15 minutes   Cuisson : 10 à 20 minutes
Marinade ou assaisonnement : 1 heure

Pour 4 personnes :
8 côtelettes de cochon « planche » • ou 4 côtes de porc
• 2 gousses d'ail • sel • poivre • bois d'Inde (feuilles
et graines) • 2 citrons verts • 2 cuillerées d'huile
Sauce chien : 2 citrons verts • 2 échalotes • 2 oignons-
pays ou cives • persil • 1 piment • sel • poivre •
1 cuillerée d'huile • 1 tasse d'eau

Parer les côtelettes en détachant la viande de l'os et en la retroussant sur la noix. Faire mariner les côtelettes dans l'huile, le jus des deux citrons verts avec l'ail écrasé, le sel, le poivre, les graines de bois d'Inde moulues ainsi que quelques feuilles, pendant environ une heure.
Préparer un barbecue au charbon de bois (vous pouvez aussi utiliser un gril) et faire griller les côtelettes sur la braise 5 à 10 minutes de chaque côté.
Préparer une sauce chien avec le jus des citrons verts, les échalotes, le persil et les oignons-pays émincés, 1 piment que l'on retire au moment de servir, du sel, du poivre, une cuillerée d'huile et une tasse d'eau bouillante.
Présenter les côtelettes arrosées de la sauce chien.
Servir avec une purée de légumes-pays ou des bananes jaunes.

JAMBON À LA CRÉOLE

Au moment de Noël, aux Antilles, le cochon est à l'honneur.
Le jambon à la créole est un des plats traditionnels que l'on déguste généralement à cette période.

Préparation : 25 minutes   Cuisson : 2 heures

Pour 8 à 10 personnes :
1 jambon salé de 2 kg • 3/4 de litre de vin blanc sec
• 1 litre et demi d'eau • 3 carottes • 1 oignon piqué
de 2 clous de girofle • 2 branches de thym • persil •
poivre • 6 cuillerées à soupe de sucre en poudre • 1
ananas frais ou une boîte • 30 g de beurre

Faire dessaler le jambon à l'eau froide, renouvelée plusieurs fois, pendant 24 heures. Le lendemain, le cuire dans un fait-tout avec le vin blanc, les carottes, l'oignon piqué des clous de girofle, le thym, le persil et le poivre. Au bout d'1 heure 30 le traverser avec la pointe d'un couteau pour vérifier sa cuisson ; l'égoutter, retirer la couenne mais non le gras, le saupoudrer de sucre et du jus de l'ananas frais ou en boîte. Le mettre à four chaud au gril en le retournant pour que le jambon se caramélise.

(Autrefois, on utilisait pour « glacer » le jambon des fers à repasser bien chauds que l'on appliquait sur le sucre au travers d'un papier fin.)

Présenter le jambon, coupé en tranches et reconstitué, entouré des rondelles d'ananas poêlées avec un peu de beurre et de sucre.

MIGAN ET COCHON SALÉ

Le migan est une purée de légumes écrasée grossièrement au « bâton lélé ».

« Le bâton lélé » sert de fouet, il a trois ou cinq branches, et on le roule entre les paumes des mains.

Préparation : 40 minutes   Cuisson : 40 à 45 minutes
Salaison : 48 heures à l'avance

Pour 4 personnes :
1 fruit à pain bien mûr • 200 g de morue salée • bois d'Inde (graines et feuilles) • 500 g de cochon salé (bas morceaux de cochon que l'on a salé soi-même ou museau, oreilles et queue de cochon salé) • 1 gousse d'ail • 1 bouquet garni (thym, persil, oignons-pays) • 3 citrons verts • 100 g de gros sel • 2 oignons-pays
Chiquetaille de morue : 3 cuillerées à soupe d'huile • 1 cuillerée à soupe de vinaigre • 1 piment • sel • poivre • 3 échalotes • 2 oignons-pays

Saler par couches successives, avec 100 g de gros sel, les morceaux un peu gras du cochon, en alternant, une couche de cochon, une couche de sel, une couche de bois d'Inde (graines écrasées et feuilles).

Mouiller avec un peu d'eau, couvrir et laisser au frais 48 heures au moins.

Le jour du migan, faire dessaler le cochon quelques heures puis le cuire dans un litre d'eau avec un bouquet garni, un jus de citron et une gousse d'ail écrasée, pendant 45 minutes.

Eplucher le fruit à pain en retirant le cœur, le couper en petits morceaux et le faire cuire dans de l'eau salée avec un oignon émincé pendant 40 minutes environ. Quand la cuisson est terminée, réduire le fruit à pain en purée, à l'aide du bâton lélé (ou d'un batteur). Servir séparément : le cochon salé (dans un peu de son eau de cuisson avec quelques oignons-pays, de l'ail hachés, un jus de citron vert), puis le migan (purée de fruit à pain pas trop écrasée), le tout, accompagné d'une chiquetaille de morue (morue salée grillée et effeuillée dans une vinaigrette avec échalotes, oignons-pays et piment).

Chaque convive mélangera dans son assiette (creuse) le cochon salé, le migan, et la chiquetaille de morue. Il rectifiera l'assaisonnement à son goût avec un piment et un citron vert.

PIEDS DE PORC

Préparation : 25 minutes   Cuisson : 1 heure 30

Pour 4 personnes :
2 pieds de porc (de devant de préférence) • 2 citrons verts • 2 bouquets garnis (thym, oignons-pays, persil) • 2 cuillerées à soupe d'huile • 1 gros oignon-France • 2 tomates • bois d'Inde (feuilles ou graines) • sel • poivre • 1 gousse d'ail • 1 piment

Bien nettoyer les pieds de porc tronçonnés et les citronner. Les faire cuire à l'eau bouillante avec un bouquet garni, une heure environ.
Faire revenir, dans l'huile, l'oignon émincé, les tomates pelées et épépinées avec l'autre bouquet garni. Mouiller avec un bol de cuisson et incorporer les pieds. Laisser mijoter 30 minutes. Saler, poivrer et quelques minutes avant la fin de la cuisson, ajouter une gousse d'ail pilée et pimenter à volonté.

COCHON DE LAIT FARCI GRILLÉ

Préparation : 40 minutes   Cuisson : 2 heures 30

Pour 10 personnes :
1 cochon de lait de 10 kg environ • 400 g de farce fine mélangée avec le foie, le cœur, les poumons, les rognons du cochon • 300 g d'oignons-pays • 6 gousses d'ail • 200 g d'oignons-France • 3 feuilles de laurier • 3 feuilles de bois d'Inde • 1 verre de rhum vieux • 2 piments • 4 citrons verts • 1 litre et demi de vin blanc sec • sel • poivre • 2 cuillerées d'huile

Frotter abondamment le cochon de lait aux citrons verts, à l'intérieur comme à l'extérieur. Le saler et le poivrer à l'intérieur. Passer au hachoir les abats, les mélanger à la farce avec les oignons-pays, les oignons-France, les gousses d'ail et les piments, le tout écrasé finement ; ajouter les feuilles de laurier, de bois d'Inde, un verre de vin blanc, un verre de rhum vieux, sel, poivre. Bien malaxer la farce et en remplir l'intérieur du cochon. Le recoudre, le badigeonner d'huile et le disposer sur la grille dans le four. Le faire cuire, 2 heures 30 environ, à four chaud en le mouillant fréquemment avec du vin blanc ; le retourner pour qu'il dore de tous côtés.
Si vous disposez d'une broche à votre four, l'utiliser de préférence.

COLOMBO DE MOUTON
OU DE CABRI

Le curry de l'Inde s'appelle colombo aux Antilles (du nom de la capitale de l'île de Ceylan). Les premiers coolies le firent connaître, dans les îles où il fut très apprécié.

On l'achète tout fait dans de petits sachets, mais on peut aussi le préparer soi-même au moulin à café électrique. Mélanger en parties égales (une cuillerée à café), des graines de coriandre, de cumin, de curcuma, de poivre noir en grain, une noix de gingembre râpée et 1/2 à 2 piments, selon leur force. Bien moudre le tout.

Préparation : 35 minutes   Cuisson : 1 heure

Pour 4 personnes :
1 kg d'épaule de mouton en morceaux, ou de collier, ou de souris de gigot • 3 cuillerées à soupe d'huile • 3 cuillerées à café de poudre de colombo • 2 oignons-France • 1 bouquet garni (thym, oignons-pays, persil) • 3 graines de tamarin (facultatif) • 2 gousses d'ail • 1 piment • 1 belle courgette • 1 aubergine ou bélangère • 1 belle christophine • 2 pommes de terre • sel • poivre

Faire revenir les morceaux de mouton dans de l'huile avec les oignons émincés. Verser un peu d'eau puis la poudre de colombo, ajouter la chair qui entoure les graines de tamarin (facultatif), bien mélanger, saler, poivrer. Quand la préparation bout, introduire le bouquet garni, les légumes épluchés (christophine coupée en dés, courgette et aubergine en rondelles, pommes de terre coupées en deux), les gousses d'ail écrasées et une pointe de piment, si vous le désirez.

Couvrir et laisser mijoter à feu doux, 1 heure.

Servir chaud avec un riz créole.

Le colombo peut également se faire avec du cabri (ou chèvre sauvage à la saveur un peu plus forte).

Aux Antilles, on réserve souvent le mouton pour les repas de fêtes. On le dégustera, jeune, en méchoui, rôti ou en ragoût.
Quand aux abats, on a coutume de les préparer en « pâté en pot ». Vous trouverez la recette à la rubrique des soupes.

MÉCHOUI DE MOUTON OU DE CABRI

Préparation : 45 minutes   Cuisson : 3 heures

Pour 10 à 15 personnes :
1 jeune mouton ou 1 jeune cabri de 12 kg • 600 g d'oignons-pays • 8 branches de thym • sel • poivre • 10 gousses d'ail • 10 graines de bois d'Inde • 250 g de beurre • 4 piments • 2 gros oignons-France • 8 citrons verts • huile à volonté

Piquer généreusement le mouton ou le cabri de l'ail écrasé avec le sel, le poivre et les graines moulues de bois d'Inde.
Remplir l'intérieur de l'animal, de thym, d'oignons-pays en grande quantité. Saler et poivrer largement. Recoudre la bête et l'embrocher.
Si vous ne disposez pas de barbecue, creuser une fosse de 20 centimètres de profondeur, la remplir de braises et placer le mouton ou le cabri sur des crocs (bâtons fourchus) qui soutiennent la broche. Le mouton doit se trouver à 60 cm environ au-dessus de la braise. Il faut le retourner sans cesse et l'arroser constamment avec le beurre fondu et l'huile agrémentés des oignons et du piment hachés, du jus des citrons verts, de 2 branches de thym émiettées et de sel et poivre.
Lorsque l'animal est doré à point (3 bonnes heures), la peau doit être croustillante et boursoufflée, on le dégustera avec les doigts !

CÔTELETTES PANÉES CRÉOLES

Préparation : 15 minutes   Cuisson : 10 minutes
Marinade ou assaisonnement : 1 heure

Pour 4 personnes :
8 côtelettes de mouton ou de cabri • 2 gousses d'ail • 2 cuillerées d'huile • 4 oignons-pays • sel • poivre • 3 citrons verts • 3 cuillerées à soupe de farine • 3 œufs entiers • 2 cuillerées à soupe de lait • 200 g de chapelure • hachis de persil

Faire mariner les côtelettes quelque temps à l'avance dans un jus de citron avec l'ail et les oignons-pays hachés, le sel, le poivre.
Les sécher et les passer successivement de chaque côté dans la farine, les œufs battus avec le lait et enfin dans la chapelure.
Les poêler avec un peu d'huile à feu moyen.
Servir les côtelettes décorées de rondelles de citrons et de persil.

GIBIERS ET VOLAILLES

CIVET DE « MANICOU »

Le manicou est un petit mamifère que l'on attrape à la main, assez difficilement, ou grâce à des nasses comparables à celles que l'on utilise pour la pêche. On l'attire avec du corossol, de la mangue ou des bananes bien mûres.

Ce « manicou » (opossum ou sarigue), de l'ordre des marsupiaux, a une poche sur le ventre pour porter ses petits.

Préparation : 1 heure   Cuisson 1 heure à 1 heure 30
Marinade ou assaisonnement : 24 heures

Pour 4 personnes :
1 jeune manicou • 1 litre de vin rouge de Bourgogne • 3 branches de thym • 3 branches de persil • 5 cives ou oignons-pays • 3 graines de bois d'Inde • 3 échalotes • sel • poivre • 1 morceau de piment • noix de muscade • 3 cuillerées à soupe d'huile • 20 g de beurre • 2 cuillerées à soupe de farine • 1 cuillerée à soupe de vinaigre • 1 verre de rhum vieux

Dépecer le manicou, le vider et ôter soigneusement les glandes qui se trouvent sous chaque patte, derrière les oreilles et autour du cou. Le découper en morceaux et le faire mariner 24 heures dans 3/4 de litre de vin rouge avec les cives, le thym, le persil, les échalotes hachées, les graines de bois d'Inde, la noix de muscade râpée (en petite quantité), le piment, le poivre. Ajouter une cuillerée à soupe d'huile et de vinaigre.
Le lendemain, essuyer les morceaux de manicou et les faire revenir, de tous côtés, dans de l'huile et du beurre. Saupoudrer de farine et arroser avec le reste du vin, un verre de rhum vieux et la marinade passée au chinois. Cou-

vrir et laisser mijoter 1 heure, 1 heure 30 après avoir rectifier l'assaisonnement en sel. Servir avec un riz créole.

PETITS OISEAUX À LA CRÉOLE

On utilisera, pour cette préparation, une variété de petites tourterelles appelées « ortolans » aux Antilles. C'est un oiseau très apprécié des chasseurs qui recherchent la difficulté !
On peut préparer de la même façon, la tourterelle, la palombe, la bécassine, la sarcelle et en métropole la caille, etc.

Préparation : 3 heures   Cuisson : 50 minutes
Marinade ou assaisonnement : 4 à 5 heures

Pour 4 personnes :
Par personne : **2 ortolans • ou 1 tourterelle • ou 2 bécassines • ou 2 cailles**
6 citrons verts • 6 graines de bois d'Inde • 4 gousses d'ail • sel • poivre • 2 verres de rhum vieux • 3 cuillerées d'huile • 30 g de beurre • 8 petits oignons • 4 branches de thym • 4 feuilles de laurier • 2 verres de vin blanc

Plumer, vider, flamber les oiseaux. Les frotter au citron à l'extérieur et à l'intérieur pour les parfumer et introduire une pincée de graine de bois d'Inde écrasé, de l'ail râpé, du sel, du poivre dans le corps de chaque oiseau. Les faire mariner dans le jus de deux citrons verts avec du rhum vieux, pendant 4 à 5 heures.
Les dorer à la cocotte avec du beurre et de l'huile entourés de petits oignons, de thym, de laurier puis les laisser mijoter à petit feu 30 minutes (surtout sur le poitrail) pour qu'ils soient cuits. On arrosera avec la marinade, passée au chinois, et la vapeur d'eau du couvercle.
Au dernier moment, lorsqu'ils sont bien colorés, ajouter un verre de vin blanc, une gousse d'ail écrasée, le jus d'un citron vert et rectifier l'assaisonnement à votre goût.

PETITS OISEAUX EN BROCHETTE

Préparation : 2 heures   Cuisson : 15 minutes
Marinade ou assaisonnement : 2 heures

Pour 4 personnes :
2 ortolans par personne • 6 citrons verts • 4 gousses d'ail • sel • poivre • 6 graines de bois d'Inde

Plumer, vider les oiseaux fraîchement tués. Les faire mariner quelques heures avec le jus des citrons verts, l'ail écrasé, le sel, le poivre, les graines de bois d'Inde moulues.
Les enfiler sur une broche et les faire cuire sur des braises de charbon de bois.

FRICASSÉE DE SINGE

Préparation : 1 heure   Cuisson : 2 heures 30
Marinade ou assaisonnement : 4 heures

Pour 6 personnes :
1 petit singe • 4 citrons verts • 6 cuillerées à soupe d'huile • 2 cuillerées à soupe de vinaigre • 1 oignon-France • 4 branches de thym • 4 feuilles de laurier • 4 gousses d'ail • 1 verre de rhum vieux • 100 g de beurre • 2 cuillerées à soupe de farine • sel • poivre • noix de muscade • 8 petits oignons • 1 bouquet garni (thym, oignons-pays, persil) • 2 clous de girofle

Vider, nettoyer et enlever le musc d'un jeune singe. Le découper en morceaux, que l'on fera tremper dans de l'eau citronnée. Frotter la peau avec le zeste du citron pressé. Laisser mariner 2 heures avec trois cuillerées à soupe d'huile, une de vinaigre, un oignon émincé, du laurier, du thym et deux gousses d'ail écrasées.
Jeter la première marinade. Essuyer les morceaux de singe et les remettre à tremper avec les mêmes ingrédients en ajoutant un verre de rhum vieux ; laisser macérer deux heures encore.
Faire bien colorer, à la cocotte, les morceaux de singe avec du beurre ; saupoudrer de farine, de sel, de poivre, de noix de muscade râpée ; mouiller avec la marinade passée au chinois et ajouter les petits oignons, le bouquet garni et les clous de girofle. Le singe doit être entièrement recouvert par le jus de la marinade pour bien cuire (2 heures environ). On doit pouvoir pénétrer facilement la chair avec une fourchette et la sauce doit être bien réduite. On accompagnera la fricassée de haricots rouges, de riz créole et de légumes-pays. La farine de manioc saupoudrée dans l'assiette servira de pain.
N.B. — Le singe ne se prépare qu'en Guyane.

LAPIN AU RHUM VIEUX
ET AUX PRUNEAUX

Préparation : 30 minutes   Cuisson : 45 minutes
Marinade ou assaisonnement : 24 heures

Pour 4 personnes :
1 lapin (en morceaux) • 1/2 litre de vin rouge • 150 g de lardons • 2 gros oignons-France • 1 citron vert •

400 g de pruneaux • 30 g de beurre • 3 cuillerées à
soupe d'huile • thym, laurier, persil • 1 carotte •
5 cuillerées à soupe de rhum vieux • sel • poivre

Découper le lapin en morceaux. Le faire mariner 24 heures dans le vin rouge avec une carotte et un oignon coupé en rondelles, une cuillerée à soupe d'huile, du thym, du laurier. Retourner le lapin pour qu'il marine bien.

Faire tremper les pruneaux, pendant quelques heures, dans de l'eau avec le zeste râpé d'un citron vert. Les dénoyauter et les faire mariner dans un peu de rhum vieux. Garder l'eau des pruneaux.

Le lendemain, faire rissoler, dans du beurre et de l'huile, les lardons et l'autre oignon coupé finement. Lorsqu'ils sont bien colorés les retirer et faire revenir les morceaux de lapin après les avoir bien épongés. Quand le lapin est doré à point, saupoudrer de farine, saler, poivrer et mouiller avec l'eau des pruneaux. Ajouter les lardons, les oignons et un bouquet garni-France. Laisser mijoter 45 minutes. 10 minutes avant la fin de la cuisson, ajouter les pruneaux imbibés de rhum et 3 bonnes cuillerées à soupe de rhum vieux.

COLOMBO DE POULET

Préparation : 35 minutes   Cuisson : 50 minutes

Pour 4 personnes :
1 poulet de 1 kg à 1,500 kg (en morceaux) • 70 g de
poudre de colombo toute faite ou préparée par vos
soins • ou 4 cuillerées à soupe de poudre de curry •
3 cuillerées d'huile • 20 g de beurre • 1 gousse d'ail •
1 oignon-France • 1 bouquet garni (thym, oignons-
pays, persil) • 3 citrons verts • 1 piment • 2 feuilles
de bois d'Inde • 4 pommes de terre • 1 belle christophine • 2 courgettes • 2 aubergines

Citronner abondamment, de toutes parts, les morceaux de poulet. Les faire revenir au beurre et à l'huile avec un oignon émincé, saler, poivrer. Lorsqu'ils sont colorés, ajouter la poudre de colombo, délayée dans un peu d'eau, un bouquet garni, les feuilles de bois d'Inde, le piment et laisser cuire à feu doux pendant 45 minutes, une heure, en incorporant la christophine coupée en dés, les courgettes et les aubergines en rondelles. Mettre les pommes de terre 20 minutes avant la fin de la cuisson. Au moment de servir, piler une gousse d'ail et presser un citron, rectifier l'assaisonnement, si c'est nécessaire. On accompagne le colombo de poulet d'un riz créole.

FRICASSÉE DE POULET

Préparation : 30 minutes   Cuisson : 45 minutes
Marinade ou assaisonnement : 2 heures

Pour 4 personnes :
1 poulet de 1 kg, 1,500 kg (en morceaux) • 2 gousses d'ail • sel • poivre • 3 citrons verts • 3 cuillerées d'huile • 20 g de beurre • 1 bouquet garni (thym, oignons-pays, persil) • 1 oignon-France • 1 piment • 3 branches de thym • 2 feuilles de laurier • 1 petit verre de rhum vieux • 1 tasse d'eau

Faire mariner le poulet, coupé en morceaux, pendant 2 heures avec de l'huile, le jus de 2 citrons verts, le thym, une gousse d'ail écrasée, un peu de piment haché et du sel. Retourner les morceaux de temps en temps.
Faire revenir, dans du beurre et de l'huile, un oignon émincé et le poulet jusqu'à ce qu'il soit bien coloré. Verser le jus de la marinade passé au chinois, saler, poivrer. Ajouter un petit verre de rhum, une tasse d'eau, un bouquet garni, quelques feuilles de laurier. Laisser mijoter 45 minutes environ.
Servir bien chaud, avec un riz ou des christophines au gratin.

FRICASSÉE DE POULET
AU CURRY ET AU COCO

Préparation : 35 minutes   Cuisson : 45 minutes

Pour 4 personnes :
1 poulet (en morceaux) • 500 g d'oignons-France • 500 g de noix de coco râpée (ou pulpe de coco) • 1 gousse d'ail • 1 bouquet garni (thym, oignons-pays, persil) • 4 cuillerées de poudre de curry • 1 cuillerée à soupe de farine • 1 bol de bouillon ou à défaut d'eau • 2 cuillerées à soupe de crème fraîche • sel • poivre • 80 g de beurre • 1 cuillerée à soupe d'huile • 2 bananes-dessert • pistaches (ou cacahuètes) salées

Faire revenir, dans le beurre et l'huile, le poulet coupé en morceaux. Saupoudrer de poudre de curry et ajouter une cuillerée à soupe de farine. Laisser colorer doucement en remuant. Mouiller avec le bouillon ou l'eau.
Hacher les oignons menus, en introduire la moitié dans la préparation ainsi que la moitié de la noix de coco râpée, le bouquet garni et la gousse d'ail. Saler, poivrer et laisser cuire doucement 45 minutes.
Au moment de servir, retirer l'ail et le bouquet garni, et lier la sauce avec la crème fraîche et un peu de lait, si c'est nécessaire.

Présenter à part, l'autre moitié des oignons hachés revenus au beurre, le reste de pulpe de coco, les pistaches (ou cacahuètes) et les bananes, coupées dans le sens de la longueur, et passées au beurre.

On dégustera le poulet avec tous ces ingrédients et un riz que l'on aura fait cuire avec du safran ; le tout, arrosé copieusement de sauce.

POULET AUX PISTACHES

Préparation : 30 minutes   Cuisson : 1 heure
Marinade ou assaisonnement : 1 heure

Pour 4 personnes :
1 poulet de 1 kg, 1,500 kg (en morceaux) • 2 gousses d'ail • 2 branches de thym • 2 citrons verts • sel • poivre • 1 feuille de laurier • 1 piment • 3 cives ou oignons-pays • 2 oignons-France • 2 cuillerées à soupe d'huile • 20 g de beurre • 3 tomates • 1 cuillerée à soupe de concentré de tomates • 3 courgettes • 4 carrés d'ignames blanches • 150 g de beurre de pistaches (ou cacahuètes) • 2 cuillerées de crème fraîche

Faire mariner le poulet avec l'ail écrasé, le thym émietté, le jus des citrons verts, le sel, le poivre, le laurier, les cives hachées et un morceau de piment.

Faire revenir le poulet dans l'huile et le beurre avec les oignons émincés ; quand il est coloré, ajouter les tomates pelées et épépinées et le concentré. Laisser cuire 5 minutes. Incorporer les légumes (courgettes, ignames blanches) et laisser mijoter le tout pendant 50 minutes. Introduire, en cours de cuisson, le beurre de pistaches (200 g de cacahuètes grillées, épluchées et pilées au mortier, réduites en beurre avec un peu d'eau).

Avant de servir, délayer deux cuillerées de crème fraîche dans la sauce (sans laisser bouillir).

Présenter le poulet nappé de son jus et les légumes à part.

POULET FARCI CRÉOLE

Préparation : 30 minutes   Cuisson : 45 minutes

Pour 4 personnes :
1 poulet de 1 kg, 1,500 kg • 2 citrons verts
Farce : 100 g de foies de volaille • 100 g de pâté de foie de volaille • 3 oignons-pays ou cives • 1 petit verre de rhum • 2 petits suisses • 30 g de mie de pain trempée dans du lait
50 g de beurre • sel • poivre • 2 oignons-France • 2 branches de thym

MIGAN ET COCHON SALÉ

C'est la purée de fruit à pain écrasée grossièrement au « bâton lélé » que l'on sert traditionnellement avec du cochon et une « chiquetaille » de morue.

Faire revenir, pendant 15 minutes, dans un peu de beurre, les foies de volailles hachés avec les oignons-pays coupés finement. Ecraser le pâté de foie, les petits suisses, la mie de pain trempée dans du lait (utiliser une goutte de lait chaud, elle sera tout de suite imprégnée). Bien malaxer le tout avec les foies hachés et revenus et ajouter un verre de rhum. Remplir le poulet (après l'avoir citronné à l'intérieur et à l'extérieur) de cette farce ; le recoudre, saler, poivrer et le mettre dans un plat beurré allant au four avec des oignons émincés tout autour et un peu de thym émietté. Verser un peu d'eau dans le fond du plat et arroser souvent le poulet pendant sa cuisson (45 minutes). Chaque convive devra déguster un peu de farce avec le poulet.

POULET GRILLÉ CRÉOLE

Préparation : 20 minutes   Cuisson : 30 minutes
Marinade ou assaisonnement : 2 heures

Pour 4 personnes :
1 poulet bien tendre ou 2 coquelets • 4 citrons verts • sel • 2 gousses d'ail • 4 graines de bois d'Inde
Sauce chien : 1 cuillerée d'huile • 2 oignons-pays • 2 échalotes • sel • poivre • 2 citrons verts • 1 tasse d'eau bouillante • persil

Faire mariner le poulet coupé en quatre ou les coquelets coupés en deux avec le jus des citrons verts, le sel, l'ail pilé, les graines de bois d'Inde écrasées pendant deux heures ou plus (ce qui est encore mieux).
Mettre les morceaux de poulet sur les braises (ou sur le gril dans votre four), pendant 15 minutes de chaque côté en les arrosant de temps à autre du jus de la marinade. Servir accompagné d'une sauce chien (huile, oignons-pays et échalotes émincés, jus de citrons verts, persil haché, sel et poivre, et une tasse d'eau bouillante) et de légumes-pays, qui se dégusteront écrasés dans la sauce, en ajoutant un peu d'huile à la façon antillaise.

POULE OU COQ DU NOUVEL AN

Dans certaines familles des Antilles, à l'occasion du Nouvel An, on tue un gros vieux coq bien ferme. On en fera un bouillon concentré et la chair sera consommée soit en « blanquette », soit en vinaigrette.

Préparation : 30 minutes   Cuisson : 1 heure 40

Pour 8 personnes :
1 vieux coq ou 1 grosse poule • 1 bouquet garni (thym, oignons-pays, persil) • 1 oignon-France piqué

de clous de girofle • 1 oignon-France brûlé près de la flamme • 8 carottes • 6 navets • 8 poireaux • 3 branches de céleri • 4 pommes de terre • sel • poivre
Pour la sauce : 1 oignon-France • noix de muscade • 2 cuillerées à soupe d'huile • 2 cuillerées à soupe de farine • 1 jaune d'œuf (facultatif) • 2 cuillerées de crème fraîche (facultatif)

Plonger le coq ou la poule dans un grand fait-tout avec 2 litres et demi d'eau froide. Porter à ébullition et retirer l'écume au fur et à mesure de sa formation. Saler, poivrer, mettre le bouquet garni, l'oignon piqué de clous de girofle et laisser bouillir 1 heure 30. Ajouter les légumes épluchés, 1 heure avant la fin de la cuisson (sauf les pommes de terre, 20 minutes avant) et l'oignon brûlé (on le passe pelé à la flamme, la première enveloppe devient noire et colore agréablement le bouillon).

On sert le coq ou la poule et les légumes séparément ; ainsi que la sauce suivante. Faire un roux avec un oignon émincé revenu dans deux cuillerées à soupe d'huile, saupoudrer de deux cuillerées de farine et mouiller avec 2 bols du bouillon de cuisson. Saler, poivrer et râper un peu de noix de muscade. On peut améliorer cette sauce avec un jaune d'œuf délayé à deux cuillerées de crème fraîche.

Si l'on préfère, on servira la poule ou le coq accompagné d'une vinaigrette bien relevée avec des échalotes hachées, des oignons-pays coupés finement, du sel, du poivre, du persil haché, le jus d'un citron vert et éventuellement un peu de piment selon le goût.

LÉGUMES

Les légumes, abondants aux Antilles, se consomment sous des formes bien différentes et peuvent vous réserver d'agréables surprises. C'est ainsi que vous dégusterez les racines alimentaires généralement appelées « légumes-pays ». Elles sont multiples et de saveur variée. Il vous faudra apprendre à les éplucher et à les cuire.

GRATIN DE CHRISTOPHINES OU CHAYOTTES

1re recette

Préparation : 30 minutes   Cuisson : 35 minutes

Pour 4 personnes :
3 belles christophines (1 kg) vertes ou blanches • 100 g de mie de pain trempée dans du lait • 1 oignon-France • 4 cuillerées à soupe de lait • 2 cuillerées à soupe d'huile • 1 bouquet garni (thym, oignons-pays, persil) • 1 gousse d'ail • sel • poivre • 100 g de gruyère râpé ou de chapelure

Choisir de préférence des christophines blanches bien mûres (la tête éclate, le germe est prêt à sortir). Les couper en deux et les cuire à l'eau bouillante salée 20 minutes. Jeter le cœur, prélever la chair à la cuillère, passer au moulin à légumes et placer la purée obtenue dans un linge en l'essorant pour expurger l'eau des christophines. Incorporer la mie de pain trempée dans du lait.
Faire un roux avec l'oignon légèrement revenu à l'huile, saupoudrer de farine et mouiller avec le lait, ajouter un bouquet garni et laisser cuire 10 minutes

à feu doux. Mélanger la purée à la béchamel épaisse, rectifier l'assaisonnement (sel, poivre et gousse d'ail pilée).

Remplir les peaux de christophines ou un plat à gratin de cette préparation, parsemer de gruyère ou de chapelure et mettre à four chaud 5 à 10 minutes.

GRATIN DE CHRISTOPHINES

2ᵉ recette

Préparation : 15 minutes   Cuisson : 30 minutes

Pour 4 personnes :
3 belles christophines • 2 oignons-France • 1 cuillerée à soupe de persil haché • 1 gousse d'ail • 2 cuillerées à soupe d'huile • 3 cuillerées à soupe de lait • 3 cuillerées à dessert de farine • sel • poivre • 150 g de gruyère râpé • chapelure

Couper les christophines en deux, retirer le cœur et les faire cuire à l'eau salée pendant un bon quart d'heure. A l'aide d'une cuillère à café, prendre la chair (si possible sans crever la peau) et la réduire en purée.

Dans une casserole, faire revenir à l'huile l'oignon, le persil haché et la farine ; mouiller avec le lait, saler, poivrer, ajouter l'ail haché et joindre la purée préparée auparavant. Laisser cuire 5 minutes.

Dans un plat à gratin, mettre une couche de purée, une couche de gruyère râpé et ainsi de suite ; parsemer de chapelure et de quelques noisettes de beurre. Faire gratiner à four chaud 10 minutes et servir aussitôt.

On peut aussi introduire la préparation à l'intérieur de la peau des christophines, si celle-ci n'a pas été crevée.

CHRISTOPHINES SAUTÉES AU LARD

Préparation : 15 minutes   Cuisson : 25 minutes

Pour 4 personnes :
2 belles christophines • 2 oignons-France • 1 gousse d'ail • sel • poivre • 150 g de lardons • 30 g de beurre • 1 cuillerée à soupe d'huile • 1 hachis de persil

Peler les christophines crues, en retirer le cœur et les couper en carrés. Faire dorer dans du beurre et de l'huile deux oignons émincés, les christophines ; ajouter une gousse d'ail écrasée, les lardons revenus, saler, poivrer et laisser cuire le tout une vingtaine de minutes.

Servir pour accompagner une viande avec un hachis de persil.

SOUFFLÉ DE CHRISTOPHINES

Préparation : 25 minutes   Cuisson : 45 minutes

Pour 4 personnes :
3 christophines • 1 bouquet garni (thym, oignons-pays, persil) • sel • poivre • noix de muscade • 50 g de beurre • 1 oignon-France • 2 cuillerées à soupe de farine • 1/4 de litre de lait • 3 jaunes d'œufs • 5 blancs d'œufs • 1 cuillerée de crème fraîche (facultatif) • 100 g de gruyère râpé

Couper les christophines en deux, les faire cuire à l'eau salée, avec un bon bouquet garni, 20 minutes. Enlever les cœurs, ne conserver que la chair, l'écraser et la presser dans un linge pour en faire sortir l'eau.
Faire une béchamel avec le beurre et un oignon émincé, ajouter la farine, bien remuer à la cuillère de bois puis mouiller avec le lait. Saler, poivrer, râper un peu de noix de muscade. Délayer les jaunes d'œufs avec une cuillerée de crème fraîche, les incorporer à l'appareil à soufflé (béchamel + purée de christophines). Ajouter le gruyère râpé et terminer délicatement, et au dernier moment, par les blancs d'œufs que vous aurez battus très fermement.
Beurrer un moule à soufflé, ne le remplir qu'aux 3/4 et faire cuire à four doux 20 minutes environ.
Lorsqu'il sent et qu'il monte, ne le faites pas attendre !

PAPAYES VERTES AU GRATIN

Les papayes se consomment mûres, en entrée ou en dessert, à la façon d'un melon ; elles ont des vertus digestives très appréciées par les amateurs de piment et d'épices... Comme légume, il est indispensable de les utiliser très vertes.

Préparation : 20 minutes   Cuisson : 30 minutes

Pour 4 personnes :
2 à 3 papayes vertes • 5 oignons-pays • 2 branches de thym • sel • poivre • piment (facultatif) • 50 g de beurre • 2 cuillerées de farine • 1 bouquet garni (thym, oignons-pays, persil) • 1/4 de litre de lait • noix de muscade • 100 g de gruyère râpé

Éplucher, épépiner les papayes et les faire cuire à l'eau salée et poivrée avec cinq oignons-pays, deux branches de thym et un morceau de piment, si vous le désirez. Lorsque les papayes sont cuites, les égoutter, les passer au presse-purée et les incorporer à une béchamel que vous aurez faites avec le beurre, un bouquet garni, la farine, le tout mouillé avec le lait. Saler, poivrer et râper de la noix de muscade. Remplir le plat à gratin de cette préparation, parsemer de gruyère râpé et mettre au four une dizaine de minutes.

BANANES

Il existe plusieurs variétés de bananes :
  — les « bananes-dessert ».
  — les « bananes à cuire ».
Parmi les « bananes à cuire », on utilisera en légumes :
  • les bananes vertes dites « ti-nains » ou « ti-figues »,
  • les bananes jaunes
ou d'autres variétés :
  • les bananes poyos, les « tontons-bananes », etc.

BANANES VERTES OU « TI-NAINS »

C'est la banane que l'on trouve sur les marchés métropolitains mais que l'on consomme verte aux Antilles.
Pour l'éplucher, il faut s'enduire les mains d'huile car la peau secrète une gomme dont on se débarrasse difficilement ; on l'entaille dans le sens de la longueur pour mieux écarter la peau.
Elle se cuit à l'eau bouillante salée pendant 15 à 20 minutes. Elle accompagne particulièrement le « crasé-morue » ou les « tripes raccommodées ». On l'écrase dans la sauce. On peut en compter deux par personnes.

LA BANANE JAUNE

Elle est plus grosse que la banane « ti-nain ».
Elle se cuit généralement avec la peau, en coupant les extrémités, à l'eau salée pendant 10 à 20 minutes suivant sa maturité (on la préfère mûre, donc sucrée). Elle se mange nature, accompagne un rôti de porc, un court-bouillon de poissons et de nombreux autres plats, pour adoucir l'agressivité du piment. On peut la déguster aussi sous d'autres formes comme le gratin, les chips.

GRATIN DE BANANES JAUNES

Préparation : 30 minutes   Cuisson : 25 minutes

Pour 4 personnes :
4 bananes jaunes bien mûres • 4 cuillerées à soupe
d'huile • 1 petite béchamel : 30 g de beurre • 2 cuillerées de farine • 1 grand verre de lait • sel • poivre •
100 g de gruyère râpé

Eplucher les bananes, les couper en deux dans le sens de la longueur, puis en
lamelles. Dans une poêle, les frire à l'huile par petites quantités.
Préparer la béchamel avec le beurre et la farine bien mélangés, le lait, le sel
et le poivre.
Disposer par couches successives dans un plat à gratin, les bananes et la
béchamel ; terminer par la béchamel et saupoudrer de gruyère râpé.
Mettre au four une dizaine de minutes.

CHIPS DE BANANES

Pour faire les chips, utiliser des bananes jaunes pas trop mûres ou des bananes dites « ti-nains ». Les éplucher et les tailler en rondelles à l'aide d'une
mandoline. Les faire tremper dans une eau salée et pimentée 30 minutes. Les
essuyer et les plonger 5 à 10 minutes dans un bain de friture bien chaud. Les
saler au moment de servir.

PURÉE DE GIRAUMON

Le giraumon est le potiron de Métropole.

Préparation : 15 minutes   Cuisson : 25 minutes

Pour 4 personnes :
1 kg de giraumon • 3 gousses d'ail • sel • poivre •
2 cuillerées à soupe d'huile • 2 branches de thym •
1 piment (facultatif) • 3 cives ou oignons-pays • persil

Eplucher le giraumon, retirer les pépins, le couper en morceaux et le cuire à
l'eau salée. Le passer à la moulinette quand il est cuit.
Dans une casserole, faire revenir à l'huile, les cives, l'ail écrasé, le thym
émietté, le persil haché et le piment en morceaux. Ajouter la purée de girau-
mon, saler et poivrer à votre goût. Mélanger au mixer pour obtenir une meil-
leure onctuosité.

Servir la purée avec un bon morceau de beurre, ou, si vous préférez, gratinée avec du gruyère râpé ou de la chapelure, en la passant au four, 10 minutes.

CONCOMBRES AU GRATIN

Préparation : 15 minutes   Cuisson : 20 minutes

Pour 4 personnes :
2 ou 3 concombres (selon leur taille)
1 bol de béchamel : **30 g de beurre • 2 cuillerées de farine • 1 verre de lait • sel • poivre**
80 g de gruyère râpé • beurre

Eplucher les concombres, ôter les pépins, puis les couper en rondelles.
Les faire « suer » tout doucement dans le fond d'une poêle avec une noisette de beurre pour qu'ils jettent leur eau.
Préparer une béchamel bien relevée avec le beurre, la farine et le lait.
Placer par couches successives, dans votre plat à gratin, les concombres et la béchamel, saupoudrer de gruyère râpé et mettre au four à dorer une dizaine de minutes.

DAUBE DE CONCOMBRES

Le concombre antillais est plus court et plus gros que celui de Métropole, mais il a le même goût.

Préparation : 15 minutes   Cuisson : 45 minutes

Pour 4 personnes :
2 beaux concombres un peu jaunes de préférence •
3 tomates • 1 cuillerée à soupe de concentré de tomates
• 1 oignon-France • sel • poivre • 1 gousse d'ail • 1
poivron (facultatif) • 3 cuillerées à soupe d'huile

Peler les concombres, les ouvrir en deux. A l'aide d'une cuillère à café, les creuser pour en retirer les pépins ; puis les couper en morceaux.
Faire revenir, avec de l'huile, dans le fond d'une cocotte, l'oignon émincé, l'ail écrasé, les tomates pelées et épépinées, le poivron en lanières. Ajouter le concentré de tomates, les concombres, saler, poivrer. Couvrir et laisser mijoter 45 minutes. Faire évaporer, si vous trouvez que c'est nécessaire.

DAUBE DE MASSICIS

Comme la daube de concombres, vous préparez une daube de massicis. Ce sont de tout petits concombres. La peau a des aspérités que l'on gratte au couteau ; on ne les épluche pas, mais on les coupe en 4 dans le sens de la longueur et on enlève à l'aide d'une cuillère, ou en les pressant, les graines qui les remplissent. La préparation est un peu longue mais elle en vaut la peine car les massicis sont délicieux.

BEIGNETS DE GOMBOS

Les gombos, mangés généralement en entrée à la vinaigrette (voir la rubrique hors-d'œuvre) ou en calalou, se cuisinent aussi en daube (remplacer les concombres par les gombos bouillis 5 minutes à l'eau salée), ou encore en beignets.

Préparation : 30 minutes   Cuisson : 15 minutes
Marinade ou assaisonnement : 1 heure

Pour 4 personnes :
   250 g de gombos • 1 citron vert • piment-confit
Marinade : **2 cuillerées à soupe d'huile • 1 jus de citron vert • sel • poivre**
Pâte à beignets : **150 g de farine • 1 cuillerée à soupe d'huile • 1 œuf entier • 2 blancs d'œufs • 1 petit verre de bière • sel**

Laver et couper la tête des gombos, les faire cuire à l'eau salée 10 minutes environ. Bien les égoutter. Les faire mariner avec l'huile, le jus de citron, le sel, le poivre pendant une heure.
Préparer la pâte à beignets : mettre la farine dans le fond d'un saladier, ajouter l'œuf entier, l'huile, le sel ; bien mélanger à la cuillère de bois. Verser peu à peu la bière et laisser reposer une heure. Juste avant d'utiliser la pâte, incorporer les blancs d'œufs battus fermement.
Bien sécher les gombos avant de les tremper dans la pâte à beignets. Les plonger 5 minutes à l'huile bien chaude et les servir avec des palettes de citrons verts et du piment-confit.

AUBERGINES FRITES

Les aubergines à peau marbrée blanche et rouge ou bélangères, sont utilisées de la même manière que les aubergines à peau foncée de Métropole.

Préparation : 30 minutes   Cuisson : 15 minutes

Pour 4 personnes :
2 jeunes aubergines • gros sel • 2 cuillerées de farine
• sel • poivre • 5 cuillerées d'huile • 100 g de gruyère
râpé

Couper les aubergines en rondelles fines avec la peau et les mettre à dégorger avec du gros sel, pendant une demi-heure. Les essuyer soigneusement, les passer à la farine de chaque côté et les frire, par petites quantités, dans l'huile bien chaude, 5 minutes environ. Dès qu'elles sont cuites, les saupoudrer de gruyère râpé. Celui-ci fondra sur les aubergines. Saler, poivrer, si vous le désirez.
On peut servir les aubergines frites à l'apéritif ou pour accompagner une viande.

BÉLANGÈRES
OU AUBERGINES FARCIES GRATINÉES

Préparation : 20 minutes   Cuisson : 25 minutes

Pour 4 personnes :
2 belles aubergines • 150 g de farce, ou reste de
viande ou de jambon haché • 30 g de mie de pain
trempée dans du lait • 1 œuf • 2 échalotes •
3 oignons-pays • 1 gousse d'ail • 1 piment (facultatif)
sel • poivre • 3 cuillerées d'huile • 20 g de beurre •
persil • 50 g de chapelure

Couper les aubergines dans le sens de la longueur. A l'aide d'une cuillère à café et d'un couteau, creuser pour prélever la chair qui est à l'intérieur et la réserver. Faire « suer » les aubergines à la poêle, avec un peu d'huile, pour qu'elles rendent leur eau.
Hacher finement la chair des aubergines, les échalotes, les oignons-pays, l'ail, le persil et le piment, si vous le désirez. Faire revenir le tout avec la viande dans un peu d'huile et du beurre. Saler, poivrer. Incorporer la mie de pain trempée dans une goutte de lait chaud et lier la farce avec un œuf. En remplir les aubergines, parsemer de chapelure et mettre à dorer au four une dizaine de minutes.

CROQUETTES DE FRUIT À PAIN

Le fruit à pain pousse sur de grands arbres, abondants aux Antilles, à feuilles larges et découpées.

On le cueille mûr. Il a la forme d'un gros melon vert.

On le prépare sous différentes formes, nature, cuit à l'eau salée pendant une vingtaine de minutes en retirant largement la peau (qui servira de couvercle pour la cuisson) et en coupant le fruit en gros morceaux ; ou encore en croquettes ou en frites.

Préparation : 20 minutes   Cuisson : 30 minutes

Pour 4 personnes :
1/2 fruit à pain • 1 verre de lait • 2 œufs • 1 oignon-France • sel • poivre • huile

Eplucher le fruit à pain, en retirer le cœur. Le couper en morceaux et le cuire à l'eau salée avec un oignon, pendant 20 minutes, en utilisant la peau comme couvercle. Quand il est cuit, le passer au moulin à légumes avec l'oignon ; incorporer à la purée les jaunes d'œufs, le lait, saler, poivrer puis ajouter les blancs d'œufs battus fermement.
Plonger les croquettes dans un bain de friture bien chaud, à l'aide d'une petite cuillère.

FRITES DE FRUIT À PAIN

Préparation : 10 minutes   Cuisson : 15 minutes

Pour 4 personnes :
1/2 fruit à pain • eau salée • huile

Eplucher le fruit à pain et le couper en bâtonnets comme pour des frites de pommes de terre. Faire tremper les frites dans de l'eau tiède fortement salée. Bien les égoutter et les sécher avec un linge avant de les plonger, en une seule fois, dans l'huile bien chaude.
Le fruit à pain se consomme aussi en migan (purée où le légume très cuit est battu avec le « bâton lélé » et où l'on trouve quelques morceaux). Ce migan est accompagné, en général, de cochon salé et d'une chiquetaille de morue. (Voir la recette Migan cochon salé).
N.B. — L'arbre à pain porte aussi un germe entre les fruits qui s'appelle « totote ». On a coutume de le préparer en beignets.

SOUFFLÉ DE FRUIT À PAIN

Préparation : 20 minutes   Cuisson : 35 minutes

Pour 4 personnes :
1/2 fruit à pain • 3 œufs • 1 petit pot de crème fraîche • 50 g de beurre • sel • poivre

Cuire le fruit à pain épluché et débarrassé de sa partie centrale. Le réduire en purée, incorporer le beurre, la crème et les jaunes d'œufs mélangés puis les blancs battus en neige très ferme avec une pincée de sel.
Verser la préparation dans un plat à soufflé beurré et mettre à four très chaud puis réduire la température et laisser cuire 15 à 20 minutes.
On peut également utiliser, pour ce genre de soufflé, les patates douces ou les ignames blanches.

CHOU COCO AU GRATIN

Les feuilles en formation du cœur du cocotier seront consommées en vinaigrette, les parties dures seront accommodées en gratin.

Préparation : 20 minutes   Cuisson : 30 minutes

Pour 4 personnes :
500 g de chou coco (ou chou palmiste) • 30 g de beurre • 2 cuillerées de farine • 1 verre de lait • sel • poivre • 100 g de gruyère râpé

Eplucher le chou coco pour en ôter les parties fibreuses. Le couper en morceaux et le cuire à l'eau bouillante salée une vingtaine de minutes.
Préparer une béchamel (en mélangeant le beurre fondu, la farine et en mouillant avec le lait). Assaisonner légèrement pour ne pas « tuer » le goût du chou coco qui est très fin.
Dans un plat à gratin beurré, mettre les morceaux de chou coco, la béchamel et saupoudrer de gruyère râpé.
Faire dorer au four une dizaine de minutes.

POIS

En général, on appelle « *pois* » les haricots. Même les haricots verts frais se nomment « pois tendres » par opposition aux « pois secs ».
On consomme les *haricots blancs* et surtout les *haricots rouges*, très cuits, bien « crevés », servis avec leur jus de cuisson pour accompagner et arroser le

ragoût de cochon, ou le chatrou (poulpe) entre autres… On ne les servira pas seuls, mais avec des « légumes-pays » cuits nature.
Les *lentilles*, toujours « crevées », se marieront à la morue-béchamel.
Lorsque vous aurez des restes de lentilles ou de haricots, vous les utiliserez en soupe en les agrémentant d'un bouquet garni, d'un oignon-France et éventuellement d'un morceau de giraumon.

POIS D'ANGOLE

Le pois d'Angole, originaire d'Angola, pousse sur un arbuste, arrive à maturité au moment de Noël et accompagnera traditionnellement le ragoût de cochon. Il a la couleur et la forme plate d'une lentille, la taille d'un petit pois et s'écosse de la même façon.

Préparation : 10 minutes   Cuisson : 40 minutes

Pour 4 personnes :
800 g de pois d'Angole • sel • 1 cuillerée d'huile • 1 morceau de chou dur ou chou-dachine • 1 oignon-France • 1 gousse d'ail • thym • 4 cuillerées à soupe de sucre • ou 3 cuillerées de sirop de sucre (facultatif)

On peut trouver, sur les marchés antillais, les pois d'Angole frais tout écossés ; dans ce cas, 400 g suffiront.
Faire cuire les pois à l'eau bouillante avec l'oignon coupé en quatre, le thym, l'ail, l'huile et laisser mijoter doucement 40 minutes (ils devront « crever »). A mi-cuisson, ajouter un morceau de chou ; saler à la fin et sucrer en sortant du feu. On les dégustera « éclatés » baignant dans leur jus de cuisson.

LE RIZ ANTILLAIS

Il se déguste peu cuit : c'est un *riz « debout »* dont les grains se détachent. Jeter au fond de la casserole une poignée de riz non traité par personne, après l'avoir lavé. Couvrir avec le double de volume d'eau salée et froide. Quand l'eau est absorbée par le riz, vous pouvez servir (10 à 15 minutes).
On le mange aussi très cuit : c'est un *« riz en pâte »* que l'on couvre avec beaucoup d'eau salée agrémentée d'un oignon-France, d'oignons-pays et parfois d'une pointe de curry. L'eau sera plus longue à s'évaporer (une trentaine de minutes). Les grains seront collés, on coupera le « riz en pâte » !
Le riz, particulièrement consommé en Guyane, remplacera les « légumes-

pays » nature pour certains plats antillais. Il se mariera particulièrement avec les haricots rouges et une daube de poisson ou de légumes ou encore avec un bon court-bouillon de poissons...

LES RACINES ALIMENTAIRES

Comme tous ces légumes, on consomme aussi les « légumes-pays » qui poussent sous terre. Parmi les racines alimentaires, il faut citer :

LA PATATE DOUCE qui se cuit, épluchée à l'eau salée, sous la cendre ou au four comme une pomme de terre, ou encore que l'on fait en purée.

LES IGNAMES il y a plusieurs variétés de goût et de consistance différents. On distingue :
— l'igname jaune ou blanche
— l'igname portugaise
— l'igname sassa
— l'igname Saint-Vincent et l'igname Dominique (du nom des îles d'origine)
— l'igname serpent, etc.

• On consomme l'igname, le plus souvent *nature*, cuite à l'eau bouillante salée (20 à 25 minutes). On l'écrase dans l'assiette avec un filet d'huile à la façon créole.
Il est d'ailleurs indispensable, pour apprécier les « légumes-pays » de préparer ce « crasé », très arrosé de sauce et pimenté selon le goût.
• On peut aussi préparer l'igname en *frites*. La couper en bâtonnets que l'on fait tremper à l'eau salée tiède et que l'on essuie avant de les plonger dans un bain de friture.
• Mais la façon la plus spectaculaire de faire connaître l'igname à vos convives, est encore de la présenter en purée, enfermée dans sa peau.

IGNAME RECONSTITUÉE

Préparation : 20 minutes   Cuisson : 30 minutes

Pour 6 à 8 personnes :
1 igname blanche de 2 kg à 2,500 kg • 50 g de beurre
• 1 cuillerée de crème fraîche • 1 grand verre de lait
• 1 grand verre d'eau • sel • poivre

Choisir une très belle igname, de forme régulière. La brosser énergiquement afin de la débarrasser totalement de sa terre. La faire cuire tout entière à l'eau bouillante bien salée 30 minutes environ, selon sa taille. (Il vous faudra utiliser une poissonnière si elle est longue.)
Lorsqu'elle est cuite, découper à l'aide d'un couteau pointu un couvercle

ovale ; prélever délicatement la chair avec une cuillère. Vous devrez laisser presque un centimètre d'épaisseur de chair accrochée à la peau de l'igname pour ne pas la crever et qu'elle conserve sa forme.

Réduire la chair en purée à l'aide d'un moulin à légumes ou d'un mixer, ajouter du lait, de l'eau, du beurre, un peu de crème fraîche si vous voulez. Saler, poivrer.

Proposer la purée dans l'igname que l'on aura reconstituée en posant le couvercle.

Cette préparation sera appréciée pour accompagner des rôtis ou des viandes grillées.

LES CHOUX. Le plus connu, le chou Dachine, madère à la Guadeloupe, dont certaines variétés deviennent blanches à la cuisson.

On le mange nature, cuit à l'eau bouillante salée (20 minutes) et écrasé à la fourchette, arrosé de sauce et d'un filet d'huile d'arachide, à la façon antillaise, ou avec du beurre, si vous préférez.

On trouve bien d'autres choux, comme le chou mol ou le chou dur qui se préparent de la même manière. Le chou malanga, très fin, est particulièrement apprécié en acras.

A la façon de la pomme de terre, on plante une « maman chou » ; tout autour viendront s'accrocher les « graines de chou » qui sont plus tendres à déguster.

LA COUSCOUCHE ressemble au chou, mais on peut lui réserver une place particulière car la saveur en est plus fine ; on la donne très tôt aux enfants sous forme de purée.

LES DESSERTS ANTILLAIS

Gâteau coco, sorbet à la goyave, tablette coco, nougat pistache...

DESSERTS

PAIN DOUX

Préparation : 20 minutes   Cuisson : 45 minutes

Pour 4 personnes :
**4 jaunes d'œufs • 6 blancs d'œufs • 100 g de farine •
150 g de sucre en poudre • essence de vanille • écorce
de canelle • zeste d'un citron vert**

*Mélanger vigoureusement les jaunes d'œufs et le sucre en poudre au fouet
jusqu'à ce que vous obteniez une préparation crémeuse et blanche. Ajouter la
farine tamisée, l'essence de vanille, l'écorce de cannelle râpée, le zeste d'un
citron vert râpé. Incorporer délicatement les blancs d'œufs battus en neige
très ferme.*
*Beurrer et fariner votre moule (en couronne, de préférence) et cuire 45 minu-
tes à four doux.*

GÂTEAU À L'ANANAS

Préparation : 30 minutes   Cuisson : 30 minutes

Pour 4 personnes :
**3 œufs • 300 g de sucre en poudre • 180 g de farine •
1 ananas ou 1 boîte d'ananas en tranches • 1 verre de
rhum vieux.**

*Eplucher l'ananas de façon à obtenir 8 rondelles ou prendre une excellente
boîte d'ananas au sirop.*
*Faire un caramel avec 120 g de sucre en poudre que l'on fond tout douce-
ment en remuant sans cesse à la cuillère de bois, et en garnir un moule
allant au four. Laisser refroidir et préparer une pâte avec les œufs et le
même poids de sucre en poudre et de farine. Ajouter une cuillerée à soupe*

113

de rhum vieux. Poser les rondelles d'ananas dans votre moule caramélisé et verser la pâte dessus.

Mettre à four modéré (200 ou 6-7) 30 minutes environ. Lorsque le gâteau est cuit, le démouler et l'arroser avec le jus de l'ananas et le restant de rhum. Servir frais.

GÂTEAU À LA NOIX DE COCO

Préparation : 10 minutes   Cuisson : 30 minutes

Pour 4 personnes :
4 cuillerées à soupe de farine • 8 cuillerées à soupe de sucre en poudre • 200 g de noix de coco râpée • 1 paquet de sucre vanillé • ou 1 cuillerée à soupe d'extrait de vanille • 125 g de beurre • 4 blancs d'œufs

Mélanger la farine et le sucre en poudre, la noix de coco râpée, la vanille (de préférence prendre un bon extrait de vanille) et le beurre fondu.
Ajouter les blancs d'œufs sans les battre en neige.
Mettre le tout dans un moule bien beurré, à four moyen, 30 minutes environ.

BLANC MANGER AU COCO

Préparation : 20 à 30 minutes   Cuisson : 10 minutes

Pour 4 personnes :
1 noix de coco ou 300 g de noix de coco râpée • 4 jaunes d'œufs • 1/2 litre de lait • essence ou gousse de vanille • 4 feuilles de gélatine • 200 g de sucre en poudre • 1 pincée de sel

Râper la noix de coco et la faire tremper dans le lait que vous aurez fait bouillir avec l'essence ou la gousse de vanille. Faire fondre les feuilles de gélatine avec une goutte d'eau, à feu doux.
Mélanger les jaunes d'œufs avec le sucre. Bien battre à la cuillère de bois pour obtenir un mélange crémeux et presque blanc. Verser peu à peu le lait chaud passé (la pulpe de coco sera pressée dans un linge) et incorporer la gélatine entièrement fondue. Remettre cette préparation sur un feu très doux, remuer sans cesse, ne pas laisser bouillir. Au premier frémissement, retirer du feu et mettre dans un moule au réfrigérateur. Le « blanc manger-coco » se sert très frais et quelquefois arrosé d'une goutte de café fort.

FLAN AU COCO

Préparation : 20 à 30 minutes   Cuisson : 45 minutes

Pour 4 personnes :
1 coco ou 300 g de noix de coco râpée • 3 œufs • zeste
d'un citron vert • vanille (essence ou gousse) • 1/2
litre de lait • 150 g de sucre en poudre • 50 g de
sucre pour caraméliser le moule

*Râper le coco finement et en extraire le jus (on peut utiliser la noix de coco
râpée que l'on trouve en Métropole).*
*Faire bouillir le lait avec le sucre, la vanille, le zeste du citron vert râpé et
ajouter le coco. Verser le lait chaud petit à petit sur les œufs entiers battus.*
*Faire un caramel en remuant sans cesse à la cuillère de bois, le sucre en pou-
dre, jusqu'à ce qu'il se colore ; en garnir le fond et les bords d'un moule que
l'on remplira de la préparation du flan.*
Faire cuire au bain marie à four doux pendant 45 minutes.

CONGOLAIS

Préparation : 10 minutes   Cuisson : 15 minutes

Pour 4 personnes :
125 g de noix de coco râpée • 200 g de sucre cristallisé
• 1 goutte d'essence de vanille • 1 zeste de citron vert
• 4 blancs d'œufs • 50 g de poudre d'amandes
(facultatif)

*Bien mélanger la noix de coco râpée, la poudre d'amandes, le sucre ; ajouter
une goutte d'essence de vanille, le zeste de citron râpé et les blancs d'œufs
battus en neige.*
Disposer la préparation en forme de rochers, sur une plaque bien beurrée.
Cuire environ 15 minutes à four doux.
On peut faire les congolais différemment :
*Battre les blancs en neige, les mettre au bain marie et sans cesser de fouet-
ter, incorporer le sucre par cuillerée, comme pour les meringues. Ajouter
ensuite, hors du feu, la noix de coco et mettre à four très doux sur une plaque huilée.*

RIZ AU FOUR

Préparation : 15 minutes   Cuisson : 2 heures 20

Pour 4 personnes :
1 boîte de lait concentré sucré • 2 boîtes d'eau • 4 cuillerées à soupe de riz non traité • essence de vanille • zeste d'un citron vert • écorce de cannelle

Laver le riz, le cuire à l'eau une vingtaine de minutes pour que les grains éclatent et l'égoutter. Le mélanger au lait concentré sucré et à l'eau (2 fois le volume de la boîte de lait). Parfumer avec la vanille, le zeste du citron vert et l'écorce de cannelle râpés.
Mettre le tout à four doux, dans un moule assez haut, deux bonnes heures (thermostat 3).

PUDDING AUX PRUNEAUX

Préparation : 30 minutes   Cuisson : 1 heure 10

Pour 4 personnes :
200 g de pain rassis • 400 g de pruneaux • 1 bol de thé • 50 g de raisins secs • zeste d'un citron vert • 1 verre de rhum vieux • 180 g de sucre en poudre • 3 œufs • 60 g de sucre en poudre (caramel) • 1/2 litre de lait • essence de vanille

Dénoyauter les pruneaux. En mettre à tremper 200 g seulement avec les raisins et le zeste de citron râpé dans un verre de rhum vieux additionné d'un verre d'eau que l'on aura fait chauffer. Laisser gonfler une bonne heure.
Faire bouillir le lait avec le sucre et l'essence de vanille, et le verser sur le pain cassé en morceaux. Passer cette préparation à la moulinette, ajouter les œufs battus et mélanger aux fruits imbibés de rhum.
Caraméliser un moule (en tournant, à feu très doux, le sucre en poudre à la cuillère de bois jusqu'à ce qu'il se colore) et le remplir de la pâte à pudding.
Cuire 1 heure à four moyen (thermostat 5-6).
Démouler et servir froid, accompagné de pruneaux au sirop.
Vous ferez tremper le reste des pruneaux (200 g) dans du thé chaud, assez fort, en ajoutant deux cuillerées à soupe de sucre en poudre.

116

GÂTEAU BLEU

Préparation : 15 minutes   Cuisson : 45 minutes

Pour 4 à 6 personnes :
3 œufs • 180 g de farine • 180 g de sucre • 180 g de
beurre • 20 g pour le moule • 1/2 paquet de levure •
1 pincée de sel • 1 verre de rhum vieux • zeste d'un
citron vert • essence de vanille • 3 cuillerées à soupe
de cacao en poudre (facultatif)

*Mélanger la farine, le sel, la levure, le beurre ramolli, le sucre et les œufs
jusqu'à ce que la pâte soit bien lisse (vous pouvez utiliser un batteur). Parfumer avec le rhum, le zeste de citron vert râpé et un peu d'essence de vanille.
Beurrer et fariner le moule, verser la préparation et mettre à four moyen
45 minutes.*
*On peut aussi séparer la pâte en deux parties et colorer celle que l'on versera
en premier dans le moule avec le cacao en poudre. (Il faut que le mélange
soit bien homogène.) On obtiendra ainsi un gâteau marbré.*

GÂTEAU PATATE

1ʳᵉ recette

Préparation : 25 minutes   Cuisson : 45 minutes

Pour 4 personnes :
500 g de patates douces • 2 œufs • 150 g de beurre •
100 g de sucre en poudre • 1 pincée de sel • essence de
vanille • zeste d'un citron vert • poudre de cannelle •
1 verre de rhum

*Eplucher les patates douces, les cuire, à l'eau légèrement salée et les passer
chaudes au presse-purée.*
*Mélanger les œufs et le sucre au fouet puis les incorporer à la purée avec le
beurre fondu, la vanille, le zeste de citron râpé, la cannelle et le rhum. Bien
pétrir le tout et remplir un moule beurré de cette préparation.*
Laisser cuire 45 minutes à four moyen.

117

GÂTEAU PATATE

2ᵉ recette

Préparation : 25 minutes   Cuisson : 40 minutes

Pour 4 personnes :
**500 g de patates douces • 2 œufs • 50 g de beurre •
250 g de sucre en poudre • 1 boîte de lait concentré
non sucré • essence de vanille • zeste d'un citron vert
• 1 pincée de bicarbonate • 1 pincée de sel • 2 feuilles
de bois d'Inde**

*Cuire les patates douces à l'eau salée avec deux feuilles de bois d'Inde. Les
passer au presse-purée.*
*Chauffer le lait avec le sucre, le zeste de citron râpé, la vanille et le bicarbo-
nate.*
*Ajouter les œufs battus et le beurre fondu à la purée, et verser le lait aroma-
tisé sur cette préparation.*
*Beurrer et fariner un moule, le remplir de la pâte et mettre à four moyen,
puis chaud pendant 40 minutes.*

TARTE AU COCO

Préparation : 25 minutes   Cuisson : 35 minutes

Pour 4 à 6 personnes :
Pâte brisée : **200 g de farine • 100 g de beurre •
1 œuf**
**200 g de noix de coco râpée • 100 g de sucre en pou-
dre • 2 blancs d'œufs • zeste d'un citron vert • écorce
de cannelle**

*Faire une pâte brisée avec la farine, le beurre ramolli et un œuf pour lier le
tout. Laisser reposer 1 heure.*
*Etaler la pâte sur le moule à tarte et remplir de la préparation suivante : le
sucre, la noix de coco, la cannelle et le citron râpés seront incorporés aux
blancs d'œufs battus en neige. Mettre à four moyen 35 minutes.*

TARTE AUX MANGUES

1re recette

Préparation : 30 minutes   Cuisson : 35 minutes

Pour 4 à 6 personnes :
Pâte brisée : **200 g de farine** • **100 g de beurre** •
1 œuf
6 mangues • **2 œufs** • **3 cuillerées à soupe de crème
fraîche** • **30 g de sucre en poudre**

*Faire une pâte brisée avec le beurre, la farine et lier avec l'œuf. Laisser repo-
ser une heure puis étendre la pâte au rouleau. Peler les mangues et les couper en « palettes » (sous forme de tranches). Les disposer sur la pâte.*
*Battre les œufs entiers avec la crème fraîche et le sucre et verser le mélange
sur les mangues.*
Cuire à four assez chaud, 35 minutes.

TARTE AUX MANGUES

2e recette

Préparation : 30 minutes   Cuisson : 25 minutes

Pour 4 à 6 personnes :
Pâte sablée : **2 jaunes d'œufs durs** • **60 g de sucre en
poudre** • **150 g de farine** • **120 g de beurre** • **1 cuillerée
à café d'essence de vanille**
6 mangues

*Faire une pâte sablée en écrasant les jaunes d'œufs cuits au dur avec le sucre
en poudre. Lorsque le mélange est homogène, jeter la farine puis incorporer
le beurre mou mais non fondu. Bien pétrir le tout, aromatiser avec de
l'essence de vanille, si vous le souhaitez.*
*Laisser reposer la pâte, deux bonnes heures, avant de l'étaler au rouleau. Si
elle est difficile à dérouler en une seule fois, la reconstituer sur la tôle.*
*Faire cuire la pâte à four doux 25 minutes, après l'avoir piquée à la four-
chette pour qu'elle ne gonfle pas.*
*La laisser refroidir avant d'y poser les mangues épluchées juste au moment de
servir.*
*Vous pouvez aussi faire fondre un peu de confiture de mangues pour glacer
la tarte.*

TARTE À L'ANANAS

Préparation : 40 minutes   Cuisson : 35 minutes

Pour 4 à 6 personnes :
Pâte brisée : **200 g de farine** • **100 g de beurre** • **1 œuf**
ou pâte sablée (voir recette tarte aux mangues) •
1 ananas coupé en rondelles • ou **1 boîte d'ananas en rondelles**
Crème pâtissière : **1 verre de lait** • **50 g de sucre en poudre** • **1 cuillerée à dessert de farine** • **1 œuf** • **2 cuillerées à soupe de rhum vieux** • **1 cuillerée d'essence de vanille**

Faire une pâte brisée ou sablée (voir la recette tarte aux mangues) en garnir votre moule à tarte et la cuire seule après l'avoir piquée pour qu'elle ne gonfle pas.
Préparer une crème pâtissière en mélangeant le sucre et le jaune d'œuf travaillés au fouet jusqu'à ce que le mélange devienne crémeux et presque blanc. Ajouter la farine, puis verser progressivement le lait bouillant aromatisé avec la vanille et le rhum. Mettre la préparation sur feu doux, en remuant sans cesse à la cuillère de bois jusqu'à ce que la crème prenne consistance. Couper l'ananas en rondelles, l'éplucher et retirer le cœur. Garnir votre pâte cuite de la crème pâtissière refroidie et de l'ananas que l'on aura caramélisé légèrement à la poêle avec du beurre et du sucre en poudre ; disposer les tranches en forme de soleil. Au dernier moment, on peut couler un caramel léger (sucre en poudre fondu à feu doux jusqu'à la coloration) sur la tarte à l'ananas.

TARTE À LA BANANE

Préparation : 25 minutes   Cuisson : 35 minutes

Pour 4 à 6 personnes :
Pâte brisée : **200 g de farine** • **100 g de beurre** • **1 œuf**
5 bananes-dessert • **2 œufs** • **3 cuillerées à soupe de crème fraîche** • **30 g de sucre en poudre** • **2 cuillerées d'essence de vanille** • **2 cuillerées à soupe de gelée de groseille**

Foncer votre moule à tarte d'une pâte brisée que vous aurez obtenue en mélangeant la farine au beurre ramolli et en liant le tout avec l'œuf et une

cuillerée à café d'essence de vanille. Disposer sur votre pâte, les bananes-dessert (figue ou macanguia) coupées dans le sens de la longueur.
Verser sur les bananes les œufs battus mélangés à la crème fraîche, au sucre et à la vanille.
Mettre à four chaud puis moyen 35 minutes.
Lorsque la tarte est cuite, on peut la glacer avec de la gelée de groseilles fondue, si on le désire.

BANANES FLAMBÉES

Préparation : 10 minutes   Cuisson : 10 minutes

Pour 4 personnes :
6 bananes-dessert (figues mûres ou macanguia) • 40 g de beurre • 125 g de sucre en poudre • poudre de cannelle • 1 verre de rhum vieux

Éplucher les bananes et les couper en deux dans le sens de la longueur. Les mettre à la poêle dans le beurre fondu tiède, les dorer de chaque côté et les saupoudrer de sucre et de cannelle. Lorsqu'elles sont caramélisées, les arroser de rhum chauffé préalablement.
Flamber en les servant à table.
N.B. — On peut remplacer le sucre en poudre par 3 cuillerées à soupe de sirop de sucre de canne et parsemer les bananes de zestes de citron vert râpé avant de les arroser.

MOUSSE DE BANANES

Préparation : 20 minutes   Cuisson : 15 minutes

Pour 4 personnes :
5 bananes-dessert (figues mûres ou macanguia) • 1/2 litre de lait • 100 g de sucre en poudre • 3 œufs • 1 cuillerée à soupe de cointreau • essence de vanille

Éplucher les bananes, les écraser à la fourchette et les passer au mixer.
Faire fondre le sucre dans le lait chaud vanillé, puis laisser refroidir.
Ajouter aux bananes, les jaunes d'œufs battus, le cointreau et verser peu à peu le lait aromatisé.
Battre les blancs en neige très ferme et les incorporer à la mousse de bananes juste avant de mettre à dorer au four (15 minutes environ).

BEIGNETS DE BANANES JAUNES

Préparation : 30 minutes   Cuisson : 5 à 10 minutes

Pour 4 personnes :
Pâte à beignets : 150 g de farine • 1 œuf entier •
1 blanc d'œuf • 1 verre de lait • 1 pincée de sel •
1 cuillerée à soupe d'huile • 1 cuillerée à soupe de
rhum vieux • 1 pincée de poudre de cannelle
100 g de sucre en poudre • 2 bananes jaunes bien
mûres • ou 3 bananes-dessert

Préparer la pâte à beignets en versant la farine au fond d'un saladier, incorporer l'œuf, l'huile, une pincée de sel, la poudre de cannelle, le lait et le rhum. Laisser reposer une heure environ après avoir incorporé la banane bien écrasée à la fourchette. (C'est pour cela qu'il faut prendre des bananes jaunes bien mûres ou, à défaut, des bananes-dessert.)
Juste avant de faire vos beignets, ajouter à la pâte, pour la rendre plus légère, un blanc d'œuf battu en neige.
Cuire les beignets dans un bain de friture bien chaud, 5 à 10 minutes et les saupoudrer de sucre en poudre.

ANANAS SURPRISE

Préparation : 35 minutes

Pour 4 à 6 personnes :
1 bel ananas • 1 ou 2 belles mangues • 2 oranges •
2 bananes • 1 chadec • quelques letchis frais ou en
boîte • quelques cerises des Antilles • ou cerises au
sirop • ou cerises confites • poudre de cannelle •
essence de vanille • essence de noyaux (amandes amères) • 100 g de sucre en poudre • 2 cuillerées à soupe
de rhum vieux

Couper l'ananas en deux dans le sens de la longueur, feuilles comprises. En creuser l'intérieur, en évitant de percer l'écorce. Couper la chair de l'ananas, des oranges, du chadec, des mangues, en cubes, et des bananes, en rondelles. Faire macérer les fruits avec le sucre, la poudre de cannelle, l'essence de vanille et de noyaux et le rhum vieux. Remplir les écorces d'ananas de cette salade et décorer avec les cerises des Antilles ou les cerises au sirop ou confites et quelques letchis. Servir bien glacé.
Vous pouvez également faire une salade de fruits antillais sans cette présentation et laisser libre cours à votre imagination quant au choix des fruits.

ANANAS VANILLÉ

Préparation : 15 minutes

Pour 4 personnes :
1 ananas frais ou 1 boîte • 1 gousse de vanille ou 2 cuillerées à soupe d'essence de vanille • 1 verre de vin rouge • cannelle • muscade • 100 g de sucre en poudre.

Couper l'ananas en rondelles et retirer le cœur. Le faire macérer avec un verre de vin rouge, la cannelle (écorce ou poudre), la muscade (en petite quantité) et l'essence de vanille. Saupoudrer le tout de sucre de canne et mettre au réfrigérateur.

SALADE D'AVOCATS AUX BANANES

Préparation : 10 minutes

Pour 4 personnes :
2 avocats • 2 bananes-dessert • 2 citrons verts • 50 g de sucre en poudre • 4 cuillerées à soupe de crème fraîche • 1 cuillerée à soupe de rhum blanc (facultatif)

Couper les bananes en fines rondelles. Peler les avocats et les couper en dés. Délayer la crème fraîche avec le jus d'un citron vert et ajouter le sucre en poudre. Verser le tout sur les fruits coupés. Arroser d'une cuillerée à soupe de rhum blanc, si vous le désirez, et d'un autre jus de citron vert pour que l'avocat ne noircisse pas.
Servir bien frais.

CRÈME D'AVOCATS

Préparation : 10 minutes

Pour 4 personnes :
4 avocats • 4 cuillerées à soupe de rhum blanc • 4 citrons verts • 150 g de sucre en poudre

Éplucher les avocats, les réduire en purée au mixer, en ajoutant le jus des citrons verts, le rhum blanc et le sucre en poudre. Mettre la préparation, soit dans un compotier, soit dans des coupes individuelles, en arrosant de citron pour éviter que la crème ne noircisse, car l'avocat s'oxyde très vite. Ne pas

préparer le dessert trop longtemps à l'avance, mais le laisser toutefois une bonne heure au réfrigérateur.
Servir frais.

CRÈME BLANCHE

La crème, le soir, est traditionnelle dans beaucoup de familles antillaises.

Préparation : 10 minutes   Cuisson : 6 minutes

Pour 4 personnes :
1/2 litre de lait • 1 à 2 cuillerées à soupe de maïzena ou de farine de maïs ou de fécule de pommes de terre • essence ou gousse de vanille • écorce de cannelle • zeste d'un citron vert

Faire bouillir le lait avec la vanille, le sucre en poudre, la cannelle et le zeste du citron vert râpé puis l'épaissir avec la maïzena délayée dans un peu de lait froid (ou la farine de maïs ou la fécule de pommes de terre). Laisser cuire la crème une minute puis la verser dans des ramequins individuels que l'on met au frais.
On l'appelle « crème blanche » parce qu'elle est parfumée à la vanille mais on peut également faire cette crème aromatisée au cacao ou au café en poudre, au caramel, etc.

CRÈME AU VERMICELLE

Préparation : 10 minutes   Cuisson : 15 minutes

Pour 4 personnes :
1/2 litre de lait • 2 cuillerées à soupe de vermicelle • 2 cuillerées d'essence de vanille ou 1 gousse • zeste d'un citron vert • cannelle

Faire bouillir le lait avec la vanille, le zeste de citron vert râpé et la cannelle.
Faire cuire le vermicelle dans le lait 10 minutes environ.
Verser la crème dans des coupes et la servir glacée.

On a coutume, dans les familles martiniquaises, de donner cette crème aux enfants le soir.

124

PÂTÉS CANNELLE

On appelle pâtés cannelle, des friands à la confiture (bananes, abricots, goyaves, mangues, etc.).

Préparation : 20 minutes   Cuisson : 25 minutes

Pour 4 personnes :
Pâte brisée : **200 g de farine • 100 g de beurre • 1 pincée de sel • 1 goutte d'eau
4 cuillerées à soupe de marmelade de goyaves • poudre de cannelle • 1 jaune d'œuf**

Faire une pâte brisée en mélangeant la farine, le beurre ramolli et le sel. Lier avec un peu d'eau.
Faire des pâtés en forme de croissants, les remplir de confiture de goyaves ou d'autres fruits, parfumée avec une pincée de poudre de cannelle, si vous le désirez. Refermer les pâtés, les décorer de croisillons faits au couteau et les dorer au jaune d'œuf.
Les faire cuire à four moyen (6-7) une vingtaine de minutes.
On peut également faire les pâtés cannelle avec de la pâte feuilletée.

PARFAIT ALLIGATOR

Préparation : 20 minutes la veille
10 minutes le jour même

Pour 4 à 6 personnes :
4 avocats • 4 citrons verts • 4 jaunes d'œufs • 1 verre à liqueur de rhum blanc • 1 pot de crème fraîche • 60 g de sucre en poudre • 1 paquet de langues de chat • violettes en sucre • 1/2 paquet de sucre vanillé

Eplucher les avocats, les passer au mixer avec le jus des citrons verts. Ajouter le rhum, les jaunes d'œufs, le sucre en poudre et la moitié du pot de crème fraîche. Bien mélanger le tout, et mettre au freezer dans votre réfrigérateur, dans un récipient de préférence en aluminium pour que la préparation devienne consistante.
Le lendemain, démouler le parfait, l'entourer de langues de chat en les piquant verticalement. Décorer avec des violettes en sucre et de la crème chantilly, si vous le voulez.
Vous aurez obtenu celle-ci en battant le reste de crème fraîche avec une goutte de lait, un peu de sucre en poudre et de sucre vanillé. Remplir une poche à douille de cette crème et en garnir le parfait.

NÉGRESSE EN CHEMISE

Ce dessert a l'avantage de pouvoir être préparé la veille.

Préparation : 30 minutes   Cuisson 10 minutes

Pour 4 personnes :
250 g de chocolat à cuire • 1 cuillerée à soupe d'eau •
3 cuillerées à café de sucre en poudre • 1 cuillerée à
café d'extrait de café (facultatif) • 125 g de beurre • 3
jaunes d'œufs
Crème anglaise : 1/2 litre de lait • 180 g de sucre en
poudre • 3 jaunes d'œufs • 1 pincée de maïzena •
1 cuillerée à soupe d'essence de vanille • 1 cuillerée à
café d'essence de noyaux

*Faire fondre, dans un récipient au bain marie, le chocolat à cuire avec le
sucre en poudre et un peu d'eau. Si on le désire, on peut ajouter une cuillerée à café d'extrait de café. Incorporer le beurre ramolli et les jaunes d'œufs.
Lorsque le mélange est bien fondu, on peut le passer quelques secondes au
mixer pour que le chocolat éclaircisse légèrement.*
*Si vous pouvez, vous mettrez ce parfait dans un moule conique avant de le
placer dans le freezer de votre réfrigérateur. Le lendemain, après l'avoir
démoulé, vous disposerez au sommet une petite tête de poupée antillaise, coif-
fée d'un madras, et vous arroserez cette « négresse en chemise » d'une crème
anglaise.*
*Pour la crème, faire bouillir le lait avec l'essence de vanille. Pendant ce
temps, mélanger les jaunes d'œufs avec le sucre en poudre à la cuillère de
bois afin d'obtenir un mélange crémeux et blanc. Pour plus de sûreté, ajouter
une légère pincée de maïzena. Verser progressivement le lait bouillant sur
cette préparation, en remuant sans cesse et remettre le tout sur le feu quelques instants, sans laisser bouillir surtout. Tourner en forme de huit avec la
cuillère de bois ; au premier frémissement, laisser refroidir la crème hors du
feu. Ajouter l'essence de noyaux et la mettre au réfrigérateur.*

SORBETS

Les sorbets sont très appréciés aux Antilles, à cause du climat et de la variété
des fruits.
On trouve une sorbetière à manivelle dans de nombreuses familles ; vous pouvez tout aussi bien utiliser une sorbetière électrique ou tout simplement un
bac à glaçons en aluminium. Pour cette dernière solution, vous aurez soin de
battre à la fourchette, toutes les demi-heures, la préparation du sorbet pour
que des glaçons ne se forment pas.
Il vous faudra, pour faire de bons sorbets :
1/2 litre de jus de fruit (les fruits seront passés au mixer), 200 g de sucre de

canne qui se dissoudront avec le jus de fruits. Vous aromatiserez suivant le goût et suivant les fruits avec le jus de citrons verts, la cannelle, la vanille. Vous pourrez même mélanger certains fruits comme la goyave et l'ananas (3/4 ananas et 1/4 goyave).

SORBET À L'ANANAS

Préparation : 15 minutes   Réfrigération : 3 heures

Pour 4 personnes :
1 ananas (pour qu'il donne 1/2 litre de jus) • 200 g de sucre en poudre • 1 cuillerée d'essence de vanille • 1 cuillerée de rhum vieux

Passer l'ananas au mixer avec le sucre ; ajouter la vanille, le rhum vieux et mettre le tout à la sorbetière ou dans un bac aluminium au freezer dans votre réfrigérateur.

SORBET AU COROSSOL

Préparation : 20 minutes   Réfrigération : 3 heures

Pour 4 personnes :
1 beau corossol ou 2 (pour obtenir 1/2 litre de jus) • 1 cuillerée d'essence de vanille • 200 g de sucre en poudre • jus d'un citron vert, ou zeste râpé • écorce de cannelle (facultatif)

Eplucher les corossols en ayant soin de retirer les pépins avant de les passer au mixer avec le sucre, le jus d'un citron vert, la cannelle et la vanille. Bien battre le tout et mettre à la sorbetière ou dans un bac à glace au freezer.

On peut également faire une *glace* avec une demie boîte de lait concentré sucré, les corossols mixés, la vanille, le jus d'un citron vert ou le zeste râpé du citron, un peu de cannelle et éventuellement quelques pommes lianes. Bien battre le tout au mixer et mettre au freezer.

SORBET COCO

Préparation : 25 minutes   Cuisson : 10 minutes
Réfrigération : 3 heures

Pour 4 personnes :
**1 beau coco ou 300 g de noix de coco râpée • 1/2 litre
de lait • 150 g de sucre • 1 cuillerée d'essence de
vanille ou 1 gousse • écorce de cannelle**

*Faire bouillir le lait avec la cannelle, la vanille, le sucre et le coco râpé, 10
minutes. Passer le lait et presser la pulpe de coco dans un linge pour en
extraire le suc.
Bien battre le mélange et mettre au freezer, à la sorbetière ou dans un bac à
glace.*

Vous ferez de la même manière des sorbets :
— à la prune de cythère (en aromatisant avec de la vanille et du jus de
citron vert),
— à l'abricot-pays (aromates : cannelle, vanille, citron vert),
— à la goyave (vanille, citron vert, cannelle),
— à la maracudja (citron vert).

GLACE COCO

Préparation : 25 minutes   Cuisson : 10 minutes
Réfrigération : 3 heures

Pour 4 personnes :
**1 coco • 1/2 boîte de lait concentré sucré • 1/2 litre
d'eau • 1 cuillerée d'essence de vanille ou 1 gousse •
écorce de cannelle • essence de noyaux (amandes amères) • zeste d'un citron vert**

*Faire bouillir l'eau avec la vanille, le citron et la cannelle (quelques morceaux
d'écorce) et verser sur le coco râpé. Faire macérer une bonne heure, puis
presser le lait obtenu (coco râpé + eau aromatisée) et bien incorporer le lait
concentré sucré avec de la vanille, de la cannelle et de l'essence de noyaux
d'amandes selon votre goût. Mettre au freezer (à la sorbetière ou dans un bac
en aluminium).*

LES FRUITS ANTILLAIS

Papaye, orange, abricot-pays, banane, ananas, pastèque, carossol, quenettes, maracudja, pomme cannelle et mangue.

GLACE AUX PRUNEAUX

Préparation : 20 minutes   Réfrigération : 3 heures

Pour 4 personnes :
1/2 boîte de lait concentré sucré • 1/2 boîte de lait concentré non sucré • 1 verre d'eau • 250 g de pruneaux • 1 verre de rhum.

Dénoyauter les pruneaux. Les écraser à la fourchette et les passer au mixer avec le lait sucré et non sucré, l'eau et le rhum. Quand le mélange est bien homogène, mettre au freezer (à la sorbetière ou dans un bac à glace).

GLACE À LA BANANE

Préparation : 25 minutes   Cuisson : 5 minutes
Rréfrigération : 3 heures

Pour 4 personnes :
4 bananes • 1/4 de litre d'eau • 250 g de sucre en poudre • 1 verre de rhum vieux • 2 citrons verts

Faire chauffer l'eau, le sucre ; quand le mélange épaissit, ajouter le rhum et le jus des citrons verts.
Verser cette préparation sur les bananes (figues bien mûres) écrasées à la fourchette. Laisser macérer une heure. Mélanger la préparation au mixer et mettre au freezer (à la sorbetière ou dans un bac à glace).

CHOCOLAT DE PREMIÈRE COMMUNION OU « CHAUDEAU »

La Première Communion est marquée aux Antilles par son « chocolat » (ou « chaudeau » à la Guadeloupe) servi aux enfants après la cérémonie. Il est généralement accompagné d'un « pain au beurre » (sorte de pain au lait de grande taille aux formes multiples, couronnes, etc.).
A la Martinique, on dégustera le chocolat de Première Communion dans les familles.
A la Guadeloupe, la cérémonie s'extériorise plus, puisque les communiants trouveront dès la sortie de l'église, des gâteaux, des friandises et le chaudeau.
On le préparera également pour des goûters d'enfants ou pour des petits déjeuners de fête.

Préparation : 10 minutes   Cuisson : 10 minutes

Pour 4 personnes :
1 litre de lait • 1 gousse de vanille • zeste râpé d'1 citron vert • 1 morceau d'écorce de cannelle • 1 cuillerée à soupe d'essence de vanille • 1 cuillerée à soupe d'essence de banane • 250 g de sucre • 5 cuillerées à soupe de cacao en poudre • 200 g d'amandes effilées • 2 cuillerées à soupe de maïzena

Faire bouillir le lait, y ajouter la vanille (en gousse et en essence), l'essence de banane, le zeste du citron vert râpé, la cannelle, le sucre et le cacao. Délayer la maïzena dans une petite quantité de lait froid et l'incorporer au lait aromatisé bouillant. Laisser frémir quelques secondes.
Présenter dans un grand récipient (genre soupière) recouvert d'amandes effilées, grillées quelques secondes au four.
Servir dans des bols ou de grandes tasses à l'aide d'une louche.

CHOCOLAT DE PREMIÈRE COMMUNION

2e recette

Préparation : 15 minutes   Cuisson : 40 minutes

Pour 8 à 10 personnes :
150 g de beurre • 250 g de chocolat à croquer • 3 boîtes de lait concentré sucré • 2 litres d'eau • 1 cuillerée à soupe d'essence de vanille • 2 cuillerées à soupe de maïzena • 2 pincées de muscade râpée • 1 pincée de cannelle • 1 bâton de cacao (facultatif) • amandes effilées

Faire fondre à feu doux, le beurre et le chocolat à croquer (ajouter 2 cuillerées à soupe de bâton de cacao râpé, si vous en avez). Verser le lait puis l'eau sur ce mélange, au fur et à mesure, en remuant sans cesse. Cuire 20 minutes tout doucement, en incorporant la vanille, la cannelle et la muscade. Délayer la maïzena dans un demi verre d'eau froide et l'introduire peu à peu à la préparation. Laisser encore 20 minutes à feu très doux.
Faire griller les amandes effilées quelques secondes à four chaud et en parsemer le chocolat.

CONFISERIES

NOUGAT PISTACHE

On appelle pistaches, aux Antilles, les cacahuètes grillées. On peut aussi réaliser cette recette avec des amandes, des noix ou de vraies pistaches.

Préparation : 15 minutes   Cuisson : 5 minutes

Pour 4 personnes :
250 g de sucre de canne • 300 g de pistaches grillées • 1 jus de citron vert

Faire fondre le sucre en poudre avec le jus de citron vert, à feu doux, en remuant à la cuillère de bois. Lorsqu'il devient blond, ajouter les pistaches grillées décortiquées et retirer immédiatement du feu car la préparation durcit très vite.
Couler aussitôt le nougat, sur 1 centimètre d'épaisseur, sur un marbre ou une tôle huilée.
Couper en carrés de '4 centimètres environ avant que le nougat soit complètement refroidi.

TABLETTES COCO

Recette de Madame Eugène à Grand-Anse (Martinique).

Préparation : 10 à 30 minutes   Cuisson : 10 minutes

Pour 4 personnes :
1/2 coco sec ou 250 g de noix de coco râpée • 150 g de sucre de canne ou sucre en poudre • écorce ou poudre

131

de cannelle • zeste râpé d'un citron vert • essence de
vanille et de noyaux (amandes amères)

*Casser l'écorce de coco sec et en « grager » (râper) le blanc. Malaxer le coco
râpé, le sucre, la cannelle, la peau râpée du citron, l'essence de vanille et de
noyaux mélangée. Mettre le tout à feu doux en ajoutant un peu d'eau de coco
et en remuant sans cesse à la cuillère de bois, jusqu'à ce que la préparation
prenne la couleur et la consistance du caramel. Retirer du feu et déposer,
sans vous brûler, les « tablettes coco » en plaques sur un marbre ou à défaut
sur du papier huilé.*

PEAU DE CHADEC CONFITE

Le chadec est une variété de gros pamplemousse que l'on trouve aux Antilles.
La peau en est épaisse et on l'utilise en confiserie.

*Éplucher et retirer le zeste d'un chadec. Couper en tranches la peau blanche
(qui se trouve entre le zeste et le fruit) et la faire tremper deux jours dans
l'eau salée. Changer l'eau tous les jours ; le troisième jour ne pas saler l'eau.
Puis égoutter la peau de chadec, la faire bouillir jusqu'à ce qu'elle soit cuite
et l'incorporer à un sirop de sucre de canne très épais (1 cm de sucre pour 2
cm d'eau). Laisser cuire sur feu très doux, le chadec ne doit pas se colorer, il
doit absorber la totalité du sirop. Le rouler alors dans du sucre cristallisé et
le faire sécher au soleil, jusqu'à ce qu'il soit confit. On le consommera très
sec.*

PÂTE DE COYAVE

(Voir à confitures.)

CONFITURES

Aux Antilles, les confitures que l'on fait chez soi, ne sont pas destinées à être conservées, mais à être dégustées en dessert. Elles peuvent toutefois se garder plusieurs jours au réfrigérateur.

CONFITURE DE GOYAVES

Préparation : 10 minutes   Cuisson : 35 minutes

Pour 6 à 8 personnes :
500 g de goyaves bien mûres • 300 g de sucre en poudre • 1 verre d'eau • 1 bâton de vanille • écorce de cannelle

Couper les goyaves en deux, les faire bouillir 5 minutes avec un verre d'eau. Vous pouvez retirer les pépins (vous aurez alors une confiture « Z'oreilles mulâtres ! ») mais ce n'est pas indispensable. Ajouter le sucre, un bâton de vanille fendu en deux et un peu d'écorce de cannelle. Laisser cuire 30 minutes environ.
Mettre dans un compotier et servir, si vous le désirez, accompagné de crème fraîche.

GELÉE DE GOYAVES

Préparation : 40 minutes   Cuisson : 1 heure environ

Pour 6 à 8 personnes :
500 g de goyaves bien mûres • même poids de sucre que le jus obtenu • vanille • cannelle

Faire bouillir 30 minutes les goyaves pelées et coupées en morceaux, dans une grande quantité d'eau (1 litre à 1 litre et demi) avec les pelures (elles serviront, avec la chair des goyaves à la préparation de la marmelade).

Passer au chinois (passoire très fine) pour recueillir le jus. Mettre la même quantité de sucre que le liquide obtenu, ajouter la gousse de vanille, l'écorce de cannelle et laisser cuire en remuant sans cesse avec une cuillère de bois, 30 minutes environ. Lorsque cette préparation commence à coaguler, la gelée est cuite. La verser dans des pots, on pourra ainsi la conserver.

MARMELADE DE GOYAVES

Passer au moulin à légumes la chair et la peau des goyaves cuites pour la gelée et mettre cette préparation, à feu doux, avec le même poids de sucre ainsi qu'une gousse de vanille et un morceau d'écorce de cannelle, pendant une bonne heure et demie en remuant pour que la marmelade n'attache pas.

PÂTE DE GOYAVES

On peut également faire de la pâte de goyaves en laissant réduire davantage la préparation de la marmelade.
On l'étale sur une tôle, on la découpe en carrés ou en languettes que l'on roule dans du sucre de canne ou du sucre cristallisé.

On fait aussi d'autres confitures.

CONFITURE DE PAPAYES

Prendre des papayes bien mûres. Les laver, les éplucher, les couper en deux et enlever les pépins puis les émincer et les faire bouillir 5 minutes dans l'eau. Les égoutter.
Faire, sur le feu, un sirop avec le même poids de sucre que les papayes égouttées, ajouter un verre d'eau, une gousse de vanille (ou de l'essence de vanille).
Incorporer les papayes au sirop et laisser sur feu doux jusqu'à cuisson complète (30 minutes environ).

CONFITURE D'ABRICOT-PAYS

Prendre un bel abricot-pays. L'éplucher en laissant une peau très épaisse ; enlever, avec la pointe d'un couteau, les parties blanchâtres et fibreuses qui pénètrent la pulpe du fruit. La couper en morceaux et faire cuire la confiture en ajoutant le même poids de sucre que de fruit et un peu d'eau pendant 35 minutes en remuant et en écrasant à la fourchette.

CONFITURE DE PRUNES DE CYTHÈRE

Peler les fruits bien mûrs sans craindre de laisser une peau épaisse car la chair qui colle à la peau est très amère. Mettre les prunes de cythère à cuire, entières, dans le même poids de sucre, mouiller légèrement avec de l'eau. Cuire une quarantaine de minutes.
Vous serez obligé de manger cette confiture avec les doigts car vous aurez la surprise de trouver un noyau qui ressemble à un oursin à longues épines. Que cela ne vous décourage pas, le goût en est agréable !

Remarque : La plupart des confitures dont nous donnons la recette, seront encore meilleures si vous laissez macérer les fruits coupés en morceaux avec leur même poids de sucre, le jus d'un citron vert et une cuillerée d'essence de vanille, toute une nuit. La macération donnera un jus. Le lendemain, vous mettrez les fruits et leur jus à cuire et vous écumerez tout au long de la cuisson. On reconnaît que la cuisson est à point quand une goutte de sirop lâchée dans un verre d'eau coagule et reste au fond.

CONFITURE DE BANANES

Préparation : 10 minutes   Cuisson : 20 minutes environ

Pour 4 personnes :
4 bananes figues mûres • 200 g de sucre en poudre • 1 citron vert • 1 orange • 1 cuillerée d'essence de vanille

Eplucher les bananes bien mûres, les écraser à la fourchette. Les recouvrir de sucre, ajouter le jus d'une orange et d'un citron vert, et la vanille.
Faire cuire à feu doux, en remuant jusqu'à ce que le mélange devienne brun. La confiture peut se servir en compotier. Elle n'aura qu'une conservation limitée.
Vous pourrez aussi ajouter une pincée de cannelle à la confiture de bananes pour remplir les pâtés-cannelle.

CONFITURE DE COCO

Préparation : 20 minutes   Cuisson : 20 minutes environ

Pour 4 personnes :
1 noix de coco • 200 g de sucre de canne ou en poudre • 1 verre d'eau • zeste d'un citron vert • 1 cuillerée d'essence de vanille

Râper le coco sec. Faire bouillir le sucre de canne dans l'eau avec le zeste râpé d'un citron vert et la vanille. Lorsque le sucre est complètement fondu,

le verser sur la noix de coco râpée. Remettre sur feu doux, en remuant jusqu'à ce que la pulpe de coco devienne translucide.
Cette confiture ne se conserve pas très longtemps.
Elle peut servir également à garnir des pâtés-coco (friands garnis de confiture de coco).

CONFITURE DE PATATES DOUCES

Préparation : 10 minutes   Cuisson : 55 minutes

Pour 4 personnes :
500 g de patates douces • 150 g de sucre en poudre • 1/4 de litre d'eau • 1 cuillerée à soupe d'essence de vanille

Couper les patates épluchées en gros dés. Les faire blanchir 10 minutes à l'eau bouillante. Les égoutter et les ajouter au sirop obtenu avec le sucre, l'eau et l'essence de vanille.
Faire cuire à très petit feu, sans couvrir, pendant 45 minutes.

CONFITURE D'ORANGES

Préparation : 24 heures   Cuisson : 20 à 25 minutes

2 kg d'oranges • 1,500 kg de sucre • 1/4 de litre d'eau

Confiture traditionnelle qui peut se conserver, comme la marmelade et la confiture de citrons verts.

Bien laver les oranges et les mettre à tremper, entières, dans de l'eau froide pendant 24 heures.
Le lendemain, les égoutter avec soin et les couper en rondelles très fines sans les éplucher.
Les faire cuire couvertes d'eau et les laisser bouillir jusqu'à ce qu'elles soient tendres sous la fourchette. Bien les égoutter. (On aura pris soin de conserver les pépins dans une gaze et de les cuire avec les tranches d'oranges.)
Faire chauffer le sucre et l'eau (1/4 de litre). Dès l'ébullition, introduire les fruits et laisser cuire jusqu'à ce que la peau des oranges devienne translucide (20 à 25 minutes). Mettre en pots en répartissant le jus.

MARMELADE D'ORANGES

Préparation : 24 heures   Cuisson : 1 heure 20

**2 kg d'oranges • 1 citron vert • 3/4 de litre d'eau •
1 kg de sucre**

*Laver les oranges et le citron vert. Enlever le zeste des fruits et le couper en
fines lamelles. Oter et jeter la peau blanche. Séparer les quartiers, enlever les
pépins et les conserver pour les cuire, dans une gaze, avec les fruits. Couper
grossièrement la pulpe des oranges et du citron vert.*
*Mettre le tout (zeste, pépins, pulpe) couvert de 3/4 de litre d'eau, à macérer
pendant 24 heures.*
*Le lendemain, cuire cette préparation à petit feu pendant une heure environ.
Après avoir ôté les pépins, ajouter le sucre, bien le mélanger en tournant
jusqu'à ébullition, puis laisser cuire jusqu'à ce que les zestes soient translucides
(20 minutes environ).*
Mettre la marmelade, qui se conservera, en pots.

CONFITURE DE CITRONS VERTS

**20 citrons verts • 1,200 kg de sucre • 1 grand verre
d'eau • 1 gousse de vanille ou vanillon**

*Laver soigneusement les citrons verts, les couper en deux et les laisser tremper
3 jours dans l'eau froide, en renouvelant l'eau chaque jour.*
*Ensuite, sans les éplucher, en faire des tranches très fines. Oter les pépins que
l'on conservera dans une gaze pour les cuire en même temps que les fruits.*
*Mettre à feu doux les rondelles de citrons et les pépins (couverts d'eau),
jusqu'à ce que la peau soit tendre. Puis les égoutter et jeter le petit sac de
pépins.*
*Faire chauffer le sucre et le grand verre d'eau, avec 1 gousse de vanille en
ayant soin de l'ouvrir ; dès l'ébullition, ajouter les tranches de citrons et laisser cuire jusqu'à ce que l'écorce du fruit soit translucide.*
Mettre en pots pour la conservation.

LES FRUITS

On découvre, sur le sol antillais, de très grandes variétés de fruits exotiques, parfumés et colorés.
Il faut savoir les choisir, les éplucher pour bien les déguster. En voici quelques-uns :

L'ABRICOT-PAYS

L'abricot des Antilles, de la taille d'un petit melon, ne ressemble pas à celui d'Europe bien que sa chair ait la même couleur. Il est plus ferme, se mange bien mûr. On l'utilise en confiture et surtout en sorbet et en jus.
Pour l'éplucher, il faut laisser une peau épaisse et retirer les parties blanches qui rentrent dans la pulpe du fruit, car elles ont des vertus très laxatives.
On le trouvera particulièrement en période sèche, de mars à juin, sur les marchés ou sur les arbres. Vous le choisirez ferme mais mûr.

L'ANANAS

C'est le plus connu des fruits exotiques ; on le trouve pratiquement toute l'année aux Antilles.
Il doit sentir le sucre à la base pour être bien parfumé. Pour savoir s'il est mûr, il faut pouvoir retirer facilement une feuille centrale de son panache.
Comme il est plus sucré à sa base, il est recommandé de le couper dans le sens de la longueur. Pour certaines préparations (tartes, etc.) on le présentera quand même en rondelles.
On le servira également en jus (c'est une bonne façon d'utiliser un ananas pas assez sucré).

LES BANANES

Parmi les « bananes-dessert », on trouve aux Antilles des variétés qui sont trop fragiles pour être exportées. Ce sont :

— *La fressinnette* de très petite taille, à peau mince et très parfumée.
— *La figue-pomme* de taille moyenne mais ventrue, à la saveur acidulée.
— *La macanguia* de bonne taille et très fragile ; c'est la « reine » des bananes pour la finesse de sa chair.

La figue-mûre qui, elle, peut être acheminée et vendue sur les marchés métropolitains, est la plus courante.

Aux Antilles, on trouve les bananes toute l'année. On ne les choisit pas trop faites, car avec le climat, elles mûrissent très vite.

LA CAILLEMITE ET LA BRIE

Elle a la taille d'une pêche et la peau verte ou aubergine. On la coupe en deux avec sa peau et on déguste, à la cuillère, sa chair laiteuse, en laissant de côté les pépins...

On la choisit mûre. On la trouve, très peu de temps, en période sèche, sur les marchés antillais.

La brie est une caillemite plus petite à peau violette.

LE CHADEC

C'est un gros pamplemousse à la peau très épaisse.

On le pèle en faisant des incisions sur la peau, en forme de quartiers, puis on détaille chaque tranche, en les ouvrant pour ne déguster que la pulpe car la peau est très amère et on ne la mange que confite.

Le pamplemousse rose est appelé « fruit défendu » aux Antilles.

LE COCO

Il faut monter au sommet de l'arbre pour cueillir les grappes de noix. Cette opération est délicate, le coco ne doit pas éclater en tombant. On coupe la tête du jeune coco à l'aide d'un coutelas pour en recueillir *l'eau de coco* (elle est rafraîchissante et très agréable, le matin au petit déjeuner). Puis on le fend pour racler la crème de coco (mince pellicule légèrement gélatineuse) appelée *« nan-nan »*. Quand le coco vieillit, cette crème devient dure et sèche et on s'en sert râpée, pour les pâtisseries, les glaces ou les sorbets.

Lorsque l'on expurge le jus du coco râpé à l'aide d'un linge, on obtient *le lait de coco*.

On trouvera toute l'année des cocos en abondance.

LE COROSSOL

C'est un fruit à la peau verte avec quelques aspérités, à la chair blanche un peu molle et cotonneuse, truffée de pépins noirs. Il est délicieux, en jus ou

140

en tranches, au petit déjeuner ; mais on l'apprécie particulièrement en sorbet ou en glace.

On le coupe en tranches, avec la peau, et on le déguste à la cuillère.

En principe, on le trouve toute l'année mais surtout de décembre à mai.

Les feuilles du corossol s'utilisent, mélangées à d'autres herbes, en infusion pour calmer les nerfs. C'est d'ailleurs pour cette raison que l'on ajoute quelques feuilles de corossol dans le bain du soir des jeunes enfants, afin qu'ils s'endorment facilement !

On se frottera, également, les mains avec ses feuilles pour se débarrasser des odeurs inopportunes de poissons ou de crustacés.

LA GOYAVE

Il en existe plusieurs variétés. On peut les déguster en fruit toute l'année mais elles sont surtout appréciées en confiture, gelée, marmelade et même en confiserie (pâte de goyave). Le jus, très réputé, sera la base du planteur et lui donnera son onctuosité.

LE LETCHI

On dit que le letchi ne porte que tous les 7 ans, ce qui explique la rareté de ce fruit tant apprécié.

On goûtera sa saveur, en fin d'année pendant très peu de temps. Il faut le choisir rouge, retirer son écorce granuleuse pour découvrir un fruit translucide et juteux autour d'un important noyau, brun et lisse.

On peut aussi utiliser les letchis de conserve pour les salades de fruits, etc.

LA MANDARINE

Elle est très parfumée, à la peau verte et orangée.

Certaines variétés, même mûres, gardent leur peau verte et sont particulièrement sucrées, ce sont les green-skin.

LES MANGUES

On trouve de nombreuses variétés de mangues.
Les plus appréciées sont entre autres :

La mangue julie, amélie, zéphirine. Sans ôter la peau, on coupe des joues de chaque côté du noyau. Avec un couteau, on pratique des incisions en carrés et on déguste la pulpe onctueuse et crémeuse à la petite cuillère. La mangue est alors épluchée « en fleur ». (Voir lexique.) Ces variétés sont abondantes surtout d'avril à juillet

Les mangots, plus petits, à la chair moins fine et quelquefois filandreuse, sont aussi très parfumés. Le mangot bassignac se pèle de « la tête aux pieds » (du sommet vers la base) car de cette façon, on évite les filaments ; puis on le coupe en lamelles. Quand il est très mûr, il a un goût alcoolisé, on l'appelle « mangot rhum ».

Les mangotines, encore plus petites, aux noms charmants comme mangotine à la rose (aux joues roses, piquées de tâches de rousseur !) font le délice des gourmets.
La plupart des mangues peuvent être achetées un peu vertes, et mûrir enveloppées dans une feuille de journal.
On trouve particulièrement en avril, mai, juin, la mangue julie, le mangot bassignac et un peu plus tard les autres (mangue zéphirine, etc.).

N.B. — Il est impossible d'apprécier une mangue sans y mettre les doigts. C'est pour cette raison que dans toutes les salles à manger antillaises vous trouverez un petit lavabo appelé « lave-mains ».

LA MARACUDJA

La maracudja ou fruit de la passion est ronde, a la peau lisse et épaisse et une chair translucide qui enrobe un grand nombre de pépins.
Elle est destinée en général à la préparation de jus ou de sorbets. C'est une liane parasite que l'on trouve toute l'année.

L'ORANGE

L'orange antillaise, à la peau épaisse, est grosse et peut rester verte même mûre. Elle est très sucrée et juteuse.
On en trouve maintenant presque toute l'année.
On peut l'éplucher de différentes manières :
— on retire le zeste en forme de spirale avec un couteau, puis on la coupe en deux comme pour faire une orange pressée. On aspire le jus et on laisse la peau blanche épaisse ;
— toujours en enlevant le zeste en spirale, on tranche 3 palettes verticalement pour laisser au centre les pépins. On coupe alors l'orange « à la demoiselle ».

LA PAPAYE

En dessert, la papaye se mange bien mûre. On la cisèle pour faire sortir le lait afin de lui retirer son amertume puis on la coupe avec la peau comme un melon.
On la trouve également toute l'année.

LA POMME CAJOU

Ce fruit a la forme d'une poire, rouge ou jaune et se termine par une noix. A l'intérieur de cette noix se trouve une amande que l'on fait griller (c'est la noix de cajou). Le fruit lui-même a une saveur acidulée et des propriétés enivrantes. On trouve la pomme cajou de juin à août.

LA POMME CANNELLE

Pour beaucoup, c'est le meilleur fruit des Antilles.
Sa peau présente des écailles molles. On ouvre le fruit bien mûr avec les deux mains et on prélève sa chair onctueuse et crémeuse à l'aide d'une petite cuillère, en laissant de côté les pépins et en ayant soin de ne pas râcler trop profondément : la chair près de la peau est un peu sableuse.
La pomme cannelle est surtout abondante de mai à septembre.

LA POMME LIANE

Elle doit son nom à la liane parasite sur laquelle elle se trouve.
Elle est ovale, de couleur jaune. On en coupe une extrémité pour faire sortir la pulpe accrochée aux pépins ; on les déguste ensemble, en croquant les pépins. La peau épaisse et veloutée ne se consomme pas.
On peut trouver des pommes liane aux Antilles toute l'année.

LA PRUNE DE CYTHÈRE

Elle est ovale, a une peau fine, jaune quand elle est mûre et est très parfumée.
En l'épluchant, il faut laisser une peau épaisse, car la chair qui y adhère est très acide. Au centre, on trouve un noyau avec des épines (en forme d'oursin).
On la déguste surtout d'octobre à janvier en fruit, en jus, ou encore en confiture.

LA SAPOTILLE

Elle a la forme d'une pomme de terre à la peau lisse, fine et dorée. La chair est jaune, très parfumée et elle fond dans la bouche.

LE TAMARIN

Le tamarin n'est pas un fruit que l'on sert au dessert ; on suce simplement, comme un chewing-gum, la chair qui entoure le noyau et que l'on trouve à l'intérieur d'une écorce. La pulpe a un effet purgatif.

**QUENETTES, MARACUDJA
ET MANGUE**
épluchée en « fleur ».

**CAROSSOL, BANANE
ET POMME CANNELLE**

BOISSONS DES ANTILLES

LE RHUM

Le rhum est la fierté des Antilles. Il a une renommée mondiale et ses utilisations sont nombreuses. En dehors du « grog », très connu en Métropole, le « punch » est la manière la plus habituelle de consommer le rhum aux Antilles.

On distingue le *rhum blanc,* incolore et le *rhum vieux,* brun foncé. C'est le vieillissement en fûts de chêne flamblés qui lui donne sa couleur sombre.

Le *rhum agricole* (le plus apprécié quand il s'agit de rhum blanc) est obtenu par la distillation du jus de la canne à sucre (le vesou).

Le *rhum industriel* se fait à partir de la mélasse, liquide sirupeux très sucré, résidu non cristallisable que l'on recueille lors de la fabrication du sucre. Le rhum industriel peut être de très bonne qualité, particulièrement parmi les « rhums vieux ».

LE COCO

Le coco est le fruit du cocotier. On trouve les cocos en grappe au sommet de l'arbre, au milieu de ses palmes. Les grappes sont nombreuses sur un même cocotier et mûrissent au fur et à mesure. Les Antillais consomment volontiers l'*eau de coco* d'un *jeune coco* ou « coco en cuillère ». C'est une eau incolore, à peine sucrée et très rafraîchissante que l'on boit à la paille après avoir tranché le haut de la noix.

C'est en râpant et en pressant fortement la partie blanche et dure d'un *coco sec* (ou en la passant à la centrifugeuse) que l'on obtient le *lait de coco* utilisé en pâtisserie. Il est, aussi, délicieux dans un café très fort ou sur une glace au café ou au chocolat.

Cocktails et apéritifs

LE PUNCH

Il se sert en principe dans de petits verres, en petite quantité car le rhum antillais titre 50° et plus.

Le punch est fait à base de rhum vieux ou blanc, de sirop de sucre de canne ou de sirop parfumé aux fruits, de zeste de citron vert auquel on peut ajouter éventuellement, un peu de jus, et de glace. La préparation du punch est fonction du goût des convives. Certains l'aiment très sucré, d'autres très sec, comme le punch « ti-feu » qui ne contient que quelques gouttes de sirop de sucre de canne dont on aura nappé le verre en le renversant, avant de mettre le rhum. On verse toujours le sirop en premier, puis le rhum et on ajoute ensuite le citron vert. Il est important de mélanger le punch, à la cuillère à punch (petite cuillère au long manche) ou au « bâton lélé », avant d'y mettre les glaçons, car le sirop en se refroidissant s'épaissit et se mêle moins bien au rhum. La glace n'est toutefois jamais indispensable ; certains prétendent même que c'est elle qui « coupe les jambes » dans le punch !... De même que l'on boit le punch plus ou moins sucré, avec ou sans glace, de même, le citron est l'objet de subtils dosages. On peut se contenter du parfum donné par une cuillère ayant gratté le zeste de citron avec laquelle on remue le punch ; ou, si l'on préfère un goût prononcé de citron vert, utiliser une « palette ». C'est un zeste épais avec un peu de pulpe que l'on presse au-dessus du verre pour en extraire 4 ou 5 gouttes de jus.

SIROP DE SUCRE DE CANNE

Le sirop de sucre de canne peut être acheté tout fait, ou préparé à la maison en faisant fondre sur feu doux, 1/2 cm de sucre de canne cristallisé couvert de 2,5 cm d'eau. Laisser bouillir à tout petit feu en remuant à la cuillère de bois jusqu'à ce que le sirop file sans se colorer.

On peut conserver le sirop dans une bouteille où l'on aura glissé une gousse de vanille pour ajouter à son parfum.

PUNCH MARTINIQUE

1/4 sirop de sucre • 3/4 rhum blanc • 1 zeste de citron vert • 1 ou 2 glaçons

Dans un verre, verser le sirop de sucre de canne puis le rhum blanc. Ajouter un zeste de citron avec un peu de pulpe pour presser 3 ou 4 gouttes de jus. Remuer à la cuillère et mettre la glace.

146

PUNCH GUADELOUPE

Le sirop de sucre de canne est le plus souvent remplacé à la Guadeloupe par un sirop préparé à l'avance avec des prunes de cythère, des pruneaux, des cerises ou des merises du pays, des prunes moubins, des quenettes. Les fruits sont cuits dans de l'eau et du sucre. Les proportions restent les mêmes.

PUNCH AU RHUM VIEUX

1/4 de sirop de sucre • 3/4 de rhum vieux

Verser le sirop de sucre de canne et le rhum vieux, puis remuer à la cuillère à punch.
Traditionnellement, le punch au rhum vieux ne contient ni citron, ni glace ; vous pouvez toutefois en ajouter.
On le sert généralement à l'apéritif du soir.

PUNCH COCO

1re recette

Râper un coco sec et le mélanger à un verre à eau de rhum blanc. Passer la préparation et presser le coco râpé dans un linge pour en extraire tout le lait et le rhum. Ajouter au liquide obtenu une cuillerée à soupe de sucre, le zeste râpé d'un demi-citron vert, un morceau de vanille fendu en deux, ou 1 cuillerée à café d'essence de vanille. Bien mélanger ou passer de préférence au mixer pour avoir un liquide mousseux. Servir avec de la glace pilée.
Si vous disposez d'une centrifugeuse, vous pouvez l'utiliser pour extraire le lait de coco que vous mélangerez au rhum blanc.

2e recette

Extraire le lait d'un coco sec à la centrifugeuse ou en pressant fortement le coco râpé dans un linge. Ajouter la même quantité de lait concentré sucré et 3 fois cette mesure de rhum blanc. Incorporer à cette préparation, le zeste râpé d'un demi-citron vert et un peu de vanille (essence ou 1/2 gousse). Servir avec des glaçons.
On trouve d'excellents « punchs au coco » dans le commerce.

PUNCH AU LAIT OU BAVAROISE

1 litre de lait • 1 morceau d'écorce de cannelle • 3 pincées de noix de muscade râpée • le zeste d'un citron vert • 1/2 gousse de vanille ou 1 cuillerée à café d'essence de vanille • 1 verre à eau de rhum blanc ou de genièvre hollandais

Faire bouillir le lait avec la cannelle, la muscade, le zeste de citron vert et la vanille pendant quelques secondes. Ajouter le rhum ou le genièvre hollandais et servir chaud ou glacé en faisant mousser le mélange avec un « bâton lélé » ou un mixer.

La bavaroise chaude est appréciée après une journée humide en saison des pluies.

RHUM SOUR

1 mesure de sirop de sucre de canne • 2 mesures de rhum (2/3 de rhum blanc, 1/3 de rhum vieux) • 1 mesure de jus de citron vert • 1 pincée de muscade râpée • 4 gouttes de bitter angostura pour 1 verre • 6 mesures de glace pilée

Dans un grand verre, verser le sirop de sucre, le rhum vieux et le rhum blanc, puis le jus de citron. Mélanger avec le bitter angostura et la noix de muscade râpée. Remplir de glace pilée et déguster.

DAÏQUIRI

1re recette

3 mesures de rhum blanc • 1 mesure de sucre de canne cristallisé ou de sirop de sucre • 1 mesure de jus de citron vert • quelques glaçons

Mélanger énergiquement au shaker, le rhum, le jus de citron, le sirop de sucre et la glace finement pilée ou passer au mixer. Dans ce cas vous pouvez utiliser du sucre de canne en poudre et des glaçons entiers.

2e recette

7 mesures de liqueur de daïquir • 1 mesure de jus de citron vert • 3 mesures de glace pilée

Dans un shaker, mettre le daïquir, le citron et la glace. Agiter énergiquement et verser encore mousseux dans des verres givrés (passer un morceau de citron sur le bord du verre et le tremper dans du sucre en poudre, ou passer les bords du verre dans 1/2 cm de sirop de grenadine puis dans 1/2 cm de sucre en poudre versé sur une assiette).

3ᵉ recette FROZEN DAÏQUIRI

4 mesures de glace • 3 mesures de rhum • 1 mesure de sirop de sucre de canne • 1 mesure de jus de citron vert • cerises au sirop

Verser le rhum, le sirop de sucre, le jus de citron, la glace dans un mixer que vous laisserez tourner jusqu'à ce que la glace soit réduite en fines paillettes.
Servir immédiatement dans des verres ballon contenant 1 ou 2 cerises au sirop avec 2 pailles courtes.

DAÏQUIRI BANANE

2 bananes mûres à point • pour 1/2 litre de liquide : 1/5 de jus de citron vert • 1/5 de sirop de sucre de canne • 3/5 de rhum blanc • 5 à 8 glaçons

Passer au mixer tous les ingrédients jusqu'à ce que la banane soit réduite en purée et les glaçons en fines paillettes.
Servir immédiatement.

PLANTEUR

1/4 de litre de jus de goyave • 1/4 de litre de jus d'orange • 1/4 de litre de jus de pamplemousse ou d'ananas • 1/4 de litre : 3/4 de rhum vieux, 1/8 de sirop de sucre de canne, 1/8 de sirop de grenadine • 1 pincée de muscade râpée • quelques gouttes de bitter angostura • facultatif : orange en tranche • ananas • cerises au sirop

Mélanger les jus de fruits frais ou en conserve, ajouter le rhum et les sirops puis la muscade et le bitter angostura.
Servir glacé avec 1 ou 2 pailles, dans de grands verres décorés d'une tranche d'orange, d'un morceau d'ananas et contenant 1 ou 2 cerises au sirop.

VERMOUTH « GOMME GLACÉ »

1 mesure de sirop de sucre de canne • 4 à 5 mesures de vermouth blanc • 1 ou 2 glaçons

Verser dans un grand verre le sirop puis le vermouth blanc sec. Mélanger et servir avec 2 glaçons.

« Ti-vermouth ka baï mal tête » un petit vermouth donne mal à la tête... Alors servez-le largement !

Le vermouth gommé glacé se prend généralement avant midi. Après, on passe au punch, au planteur ou au daïquiri (si on peut !).

CAFÉ

Le café produit aux Antilles est très peu grillé ; de là son goût un peu vert. Il est généralement fort, sucré et chaud : assez fort pour tacher pour toujours la nappe sur laquelle tombe une goutte, assez sucré pour que les abeilles viennent butiner au fond de la tasse vide, assez chaud pour que le poil d'un chien sur lequel il serait renversé ne repousse pas.

Le café se boit le matin, au réveil, bien avant le petit déjeuner, après un bon déjeuner, rarement le soir où on lui préfère une infusion appelée « thé » en créole.

Quelques cuillerées de lait de coco dans un café très fort feront un original café au lait.

Digestifs

LE SHRUBB

3/4 de litre de rhum • 5 peaux de mandarines •
1/4 de litre de sirop de sucre • ou 7 cuillerées à soupe
de sucre de canne cristallisé • 1 gousse de vanille

Préparer la peau des mandarines en grattant de l'intérieur tout le blanc pour ne garder que le zeste.

Mettre les peaux à macérer dans une bouteille avec le rhum, 1 gousse de vanille et la laisser au soleil pendant 3 jours au moins. Passer alors la préparation et la sucrer.

Le shrubb se conserve dans des bouteilles bouchées et se sert en digestif.

150

ABSINTHE AMÈRE

1 bouteille de rhum blanc • 5 ou 6 branches
d'absinthe

*Mettre les branches d'absinthe à macérer dans le rhum et exposer la bouteille
au soleil pendant 3 jours au moins. Passer dans un entonnoir avec une éta-
mine. On obtient un digestif très amer.*

LIQUEUR DE COCO

3 cocos • 1/2 litre de rhum blanc • 1/4 de litre de
sirop de sucre de canne • 1 cuillerée à soupe d'essence
de vanille

*Râper les cocos, verser le rhum blanc dessus, presser dans un linge pour bien
extraire le suc. Ajouter le sirop de sucre, 1 cuillerée à soupe d'essence de
vanille, au liquide obtenu. Laisser au soleil pendant deux jours environ, avant
de déguster.*

INFUSIONS

Les infusions sont les bienvenues après le dîner : elles favorisent la digestion
et préparent au sommeil. On les appelle « thé » en créole.
Les plus connues sont les thés de basilic, de citronnelle à longues feuilles ou à
petites feuilles, de menthe glaciale, de zeste de citron vert, dit « thé la peau
citron » (compter le zeste d'un citron vert entier pour 4 à 6 tasses).
Plonger quelques branches de l'infusion choisie, dans l'eau bouillante et laisser
frémir une dizaine de secondes avant de couvrir. Faire infuser 5 minutes. Servir bien chaud et bien sucré.

Jus

JUS D'ANANAS

1 ananas • pour 2/3 de jus obtenu (1/3 d'eau) •
5 cuillerées à soupe de sucre en poudre • ou 1 verre à
eau de sirop

Eplucher l'ananas, le couper en morceaux et le passer au moulin à légumes ou au mixer. Ajouter l'eau et le sucre en poudre ou le sirop selon votre goût. Passer dans une passoire très fine ou à travers une toile fine.

JUS DE COROSSOL

1 corossol bien mûr • même quantité d'eau que de jus obtenu • sucre (selon le goût) • 1 zeste de citron vert • 1/2 gousse de vanille ou 1 cuillerée à café d'essence de vanille

Enlever la peau et les pépins du corossol et presser la chair au moulin à légumes ou au mixer. Filtrer à la passoire, ajouter la même quantité d'eau et sucrer selon votre goût. Le zeste râpé de citron vert et la vanille renforcent la saveur du corossol.

JUS DE GOYAVES

6 à 8 goyaves à pulpe rose bien mûres • eau pour obtenir 1 litre de jus • sucre en poudre

Passer les goyaves à la moulinette ou au mixer en les arrosant d'eau chaude. Verser à travers une passoire fine et sucrer à votre goût.

JUS DE MARACUDJAS

5 maracudjas • 1 litre d'eau • 5 cuillerées à soupe de sucre

Couper les fruits en deux, prélever la pulpe et les pépins à l'aide d'une cuillère et les mettre dans une passoire. Verser un litre d'eau tiède en écrasant les pépins et la pulpe au fond de la passoire. Jeter les pépins et les filaments et sucrer, selon votre goût, le jus obtenu.

JUS DE CITRON VERT

1 citron vert • 1 verre à orangeade d'eau • 2 cuillerées à café de sucre en poudre

Presser le citron. Ajouter l'eau et le sucre.

LES COCKTAILS

Punchs, daïquiri, planteur...

Les ingrédients de base : rhum blanc, rhum vieux, cannelle, muscade, citrons verts...

JUS DE PRUNES DE CYTHÈRE

5 ou 6 prunes de cythère vertes très fermes • 5 cuillerées à soupe de sucre • 1 litre d'eau

Râper finement les prunes de cythère avec leur peau. Verser la pulpe râpée dans un litre d'eau. Bien mélanger avec le sucre et filtrer à la passoire fine.

On peut faire de la même manière du jus de mangues vertes. Il faudra avoir soin de prendre des fruits qui ne soient pas mûrs pour ces jus.

JUS DE TAMARINS

2 grosses poignées de tamarins • 5 cuillerées à soupe de
sucre • 1 litre d'eau

Ecosser les tamarins et mettre la pulpe et les pépins dans un litre d'eau. Faire bouillir 5 à 10 minutes. Enlever les pépins, passer la pulpe à la moulinette et filtrer le jus à la passoire fine. Sucrer à votre goût et servir glacé.

JUS DE MANDARINES

7 mandarines • même quantité d'eau que de jus
obtenu • 5 cuillerées à soupe de sucre

Couper les mandarines en deux, les presser, ajouter l'eau et sucrer à volonté.

COCKTAIL DE JUS DE FRUITS

Les jus de goyaves, d'ananas, de tamarins, d'oranges, de mandarines, de pamplemousses peuvent être mélangés.
Les meilleurs cocktails sont :
— orange et pamplemousse en parties égales,
— ananas et goyave en parties égales ou avec l'ananas dominant,
— tamarin et goyave en parties égales.
Quelques gouttes de bitter angostura améliorent les mélanges de jus.

ADRESSES

Nous avons pensé qu'une liste indicative de magasins, faciliterait les achats des produits nécessaires à la cuisine antillaise.

PARIS

— Y.-J. JOULIN, 2, rue de l'Arbalète, 5ᵉ arrondissement. Tél. : 331.67.81. Marché Mouffetard, ouvert de 9 h à 12 h 30, de 16 h à 19 h 30 du mardi au dimanche matin.
— VINACO, 49, boulevard Saint-Germain, 5ᵉ arrondissement. Tél. : 326.88.70. (Produits exotiques vietnamiens, mais il y a de beaux fruits et légumes antillais.)
— AUX 2 CRÉOLES (Mme COTTRELL), 37, rue Dauphine, 6ᵉ arrondissement. Tél. : 633.20.60.
— FAUCHON, 24-26-28, place de la Madeleine, 8ᵉ arrondissement. Tél. : 073.11.90 et 266.50.85.
— HÉDIARD, 21, place de la Madeleine, 8ᵉ arrondissement. Tél. : 266.44.36.
— MAISON PORCHER, 30, rue Tronchet, 9ᵉ arrondissement. Tél. : 073.25.03. (Boudin créole, crabes farcis.)
— MAGASINS LUCE, 45, rue de Léningrad, 8ᵉ arrondissement. Tél. : 522.56.96.
— PRODUITS ANTILLAIS, 15, rue Gérando, 9ᵉ arrondissement. Tél. : 878.88.47. (Plats cuisinés sur commande.)
— AU SOLEIL DES ANTILLES, 88 bis, rue du faubourg du Temple, 11ᵉ arrondissement. Tél. : 357.24.63.
— CARAÏBOS, 21, rue de la Roquette, 11ᵉ arrondissement. Tél. : 700.51.47. (Ouvert de 9 h à 19 h 30.)
— AUX CARAÏBES (Maison MEYER), 18, rue d'Aligre, 12ᵉ arrondissement. Tél. : 307.78.15. (Du mardi au samedi de 7 h à 13 h et de 16 h à 19 h et le dimanche matin.)
— LANGERON, 156 bis, avenue Daumesnil, 12ᵉ arrondissement. Tél. : 343.15.48.

- LA CARAVANE, 8, avenue du Maine, 14e arrondissement. Tél. : 548.65.16. (Boudin créole, crabes farcis, pâtés cochon... tous les rhums.)
- AFRIQUE ANTILLES, 9, rue Léopold-Robert, 14e arrondissement. Tél. : 322.04.63.
- SOCIÉTÉ CARAÏBOS, 26, rue des Poissonniers, 18e arrondissement. Tél. : 254.58.67.
- LES SIX CONTINENTS, 16, rue de Clignancourt, 18e arrondissement. Tél. : 606.25.54.
- JEAN ET BRASSAC (spécialités antillaises), 16, boulevard de Belleville, 20e arrondissement. Tél. : 797.18.61.

FRUITS ET LÉGUMES :
- MAISON BASILLIA, 20, rue Montorgueil, 1er arrondissement. Tél. : 236.59.90. (Ouvert tous les jours sauf le lundi de 5 h à 13 h.)
- LES VERGERS SAINT-EUSTACHE, 13, rue Montorgueil, 1er arrondissement. Tél. : 508.09.83. (Corbeilles exotiques.)

BOISSONS :
- LA BOUTIQUE AU RHUM, 185, rue du faubourg Poissonnière, 9e arrondissement. Tél. : 271.82.12 et 277.62.56. (Commandes en gros, 61, rue Meslay, 3e arrondissement et aussi à Bobigny, centre commercial Bobigny 2.)

PROVINCE

ANGOULÊME (Charente)
- CAFÉS RASSET, 104, rue de Périgueux. Tél. : (45) 95.06.48.

AIX-EN-PROVENCE (Bouches-du-Rhône)
- FERNANDEZ, 57, rue Espariat. Tél. : (42) 26.67.39.
- BARELLI, 29, cours Sextius.
- MAISON BELLE, place des Augustins. Tél. : (42) 26.14.97.
- JACQUEMES, 9, rue Mejanes. Tél. : (42) 23.48.64.

BORDEAUX (Gironde)
- M. FOURGOUS, 105, rue Fondaudège. Tél. : (56) 44.64.56.

COGNAC (Charente)
- Denis GILBERT, 171, avenue Victor-Hugo. Tél. : (45) 82.16.35.

DIJON (Côte-d'Or)
- Serge LELEU, 26, rue Musette. Tél. : (80) 32.79.54.

LA ROCHELLE (Charente-Maritime)
- M. PONS , 24, rue du Temple. Tél. : (46) 41.05.26.

MARSEILLE (Bouches-du-Rhône)
- Etablissements BAZE, 258, avenue du Prado. Tél. : (91) 76.26.20.

POITIERS (Vienne)
— M. MONTÉRO, 39, rue Carnot. Tél. : (49) 41.28.61.

Etablissements ne faisant pas de produits frais :

CANNES (Alpes-Maritimes)
— LA CÔTE-D'OR, 107, rue d'Antibes. Tél. : (93) 38.53.48.

LA ROCHELLE (Charente-Maritime)
— Etablissements d'ALBRET, 13 ter, rue Saint-Yon. Tél. : (46) 41.17.40.

NIORT (Deux-Sèvres)
— Maison des cafés BOB, 32, rue Sainte-Marthe. Tél. : (49) 24.23.60.

BELGIQUE

BRUXELLE
— BARONE'S BOUTIQUE, Galerie Louise 127, 1050 Bruxelles. Tél. : 375.03.53
  — 513.17.84.
— Etablissements ROB :
  • 28, boulevard de Woluwe, 1150 Bruxelles. Tél. : 771.20.60.
  • 3, chaussée d'Ixelles, 1050 Bruxelles. Tél. : 513.39.10.
  • 1331, chaussée de Waterloo, 1180 Bruxelles. Tél. : 379.58.28.
— FUHR Sœurs, 10, place Sainte-Catherine, 1080 Bruxelles. Tél. : 511.29.59.
  (Maison ne faisant pas de produits frais mais les conserves et boissons
  antillaises.)

CANADA
— ENKIN FRUIT, 1201, Saint-Laurent — Montréal (Québec). Tél. : 866.32.02.
— WORLD WIDE IMPORTED FOODS, 6700, Côte des Neiges — Montréal
  (Québec). Tél. : 733.14.63.

ÉTATS-UNIS
— KALPARRA IMPORTS, 4275, Main street — Flushing — (New York) 11355.
  Tél. : 961.4111.
— SIDDHARTA, 1412, New York Avenue NW (Washington) DC. Tél. :
  638.6828.
— INDIAN SPICES STORE, 4110 Wilson Boulevard Arlington (Virginie). Tél. :
  522.0149.

GRANDE-BRETAGNE
— SPENCER AND MUM, 61 Lancaster Road (off Portobello Road) (London)
  W 11.

ITALIE

ROME
- EPICERIE CASTRONI Via Cola-di-Rienzo 196.198 00192 (Roma).
- EPICERIE CASTRONI Via Flaminia 28.32 00196 (Roma).

SUISSE

GENÈVE
- MAISON BURKARD S.A. épicerie fine, route de Florissant 57 1206 (Genève). Tél. : 47.22.27.
- LE GRAND PASSAGE S.A. 13-15, rue du Marché 1204 (Genève). Tél. : 20.66.11.

Table des matières

HORS-D'OEUVRES ET ENTRÉES 49

CRUSTACÉS 59

POISSONS 69

N° d'Editeur : 862
Dépôt légal : 1er trimestre 1981

Imprimé en Belgique